中國美術全集

中國美術全集

卷軸畫五

全國百佳圖书出版單位
ARTTIME 時代出版
時代出版傳媒股份有限公司
黄山書社

目　録

清 (公元一六四四年至公元一九一一年)

頁碼	名稱	時代	作者	來源	收藏地
1164	花卉圖	清	惲壽平		上海博物館
1166	花卉圖	清	惲壽平		臺北故宮博物院
1168	花果圖	清	惲壽平		遼寧省旅順博物館
1169	花卉圖	清	惲壽平		臺北故宮博物院
1169	秋林過雨圖	清	文點		上海博物館
1170	扶杖聽泉圖	清	文點		首都博物館
1170	桃源圖	清	顧符稹		上海博物館
1171	盤車圖	清	李寅		故宮博物院
1172	仿宋元山水圖	清	高簡		上海博物館
1173	仿古山水圖	清	高簡		上海博物館
1174	携琴訪友圖	清	上睿		遼寧省旅順博物館
1175	石城圖	清	陳卓		故宮博物院
1176	江山樓閣圖	清	陳卓		首都博物館
1177	青山白雲圖	清	陳卓		南京博物院
1177	桃花蛺蝶圖	清	陳字		上海博物館
1179	仕女圖	清	焦秉貞		故宮博物院
1180	垂釣圖	清	藍深		上海博物館
1180	雷峰夕照圖	清	藍深		浙江省博物館
1181	消夏圖	清	藍濤		上海博物館
1181	寒香幽鳥圖	清	藍濤		浙江省博物館
1182	避暑山莊圖	清	冷枚		故宮博物院
1183	梧桐雙兔圖	清	冷枚		故宮博物院
1183	罌粟圖	清	柳遇		臺北故宮博物院
1184	敬亭棹歌圖	清	梅庚		安徽省博物館
1184	秋林書屋圖	清	梅庚		上海博物館
1185	松石圖	清	梅翀		上海博物館
1185	墨竹圖	清	劉源		故宮博物院
1186	仿高房山雲山圖	清	王原祁		上海博物館
1186	山中早春圖	清	王原祁		遼寧省博物館
1187	仿王蒙夏日山居圖	清	王原祁		臺北故宮博物院
1188	竹溪松嶺圖	清	王原祁		故宮博物院
1190	盧鴻草堂十志圖	清	王原祁		故宮博物院
1191	畫中有詩圖	清	王原祁		臺北故宮博物院
1191	江鄉春曉圖	清	王原祁		江蘇省蘇州博物館

頁碼	名稱	時代	作者	來源	收藏地
1192	春雲出岫圖	清	王原祁		臺北故宮博物院
1193	關山行旅圖	清	陸𪁺		上海博物館
1193	長松圖	清	陸𪁺		臺北故宮博物院
1195	搜盡奇峰圖	清	石濤		故宮博物院
1196	蕉菊圖	清	石濤		故宮博物院
1196	山水圖	清	石濤		四川博物院
1197	細雨虬松圖	清	石濤		上海博物館
1198	竹石圖	清	石濤		故宮博物院
1200	梅花圖	清	石濤		故宮博物院
1202	巢湖圖	清	石濤		天津博物館
1202	對菊圖	清	石濤		故宮博物院
1203	山水清音圖	清	石濤		上海博物館
1203	游華陽山圖	清	石濤		上海博物館
1204	淮揚潔秋圖	清	石濤		南京博物院
1205	牧牛圖	清	楊晋		吉林省博物院
1205	石谷騎牛圖	清	楊晋		故宮博物院
1206	山水花鳥圖	清	楊晋		上海博物館
1207	山水圖	清	王概		天津博物館
1208	秋關喜客圖	清	王概		山西博物院
1208	一壑泉聲圖	清	姜實節		上海博物館
1209	秋山亭子圖	清	姜實節		上海博物館
1209	江鄉清曉圖	清	禹之鼎		遼寧省旅順博物館
1210	竹溪讀易圖	清	禹之鼎		首都博物館
1210	王原祁藝菊圖	清	禹之鼎		故宮博物院
1212	山水圖	清	禹之鼎		臺北故宮博物院
1212	黄海松石圖	清	姚宋		上海博物館
1213	谿山茅亭圖	清	姚宋		江蘇省鎮江博物館
1213	弄胡琴圖	清	王樹穀		故宮博物院
1214	雜畫	清	王樹穀		浙江省博物館
1215	人物圖	清	王樹穀		上海博物館
1216	醉儒圖	清	黄鼎		廣東省博物館
1217	山水圖	清	黄鼎		故宮博物院
1217	漁父圖	清	黄鼎		上海博物館
1218	山水圖	清	王雲		臺北故宮博物院

頁碼	名稱	時代	作者	來源	收藏地
1218	雪溪行舟圖	清	王雲		北京榮寶齋
1219	休園圖	清	王雲		遼寧省旅順博物館
1220	踏雪尋梅圖	清	蕭晨		山東省青島市博物館
1220	采芝圖	清	蕭晨		上海博物館
1221	楊柳歸牧圖	清	蕭晨		故宫博物院
1222	李清照像	清	崔錯		故宫博物院
1223	鸚鵡戲蝶圖	清	胡湄		上海博物館
1223	歲朝麗景圖	清	陳書		臺北故宫博物院
1225	雜畫	清	高其佩		上海博物館
1226	山水圖	清	高其佩		臺北故宫博物院
1227	鍾馗圖	清	高其佩		山西博物院
1227	梧桐喜鵲圖	清	高其佩		遼寧省博物館
1228	浙東游履圖	清	高其佩		故宫博物院
1228	高山烟雲圖	清	武丹		首都博物館
1229	山水圖	清	武丹		江蘇省常熟博物館
1229	醉歸圖	清	袁江		遼寧省旅順博物館
1230	驪山避暑圖	清	袁江		首都博物館
1231	水殿春深圖	清	袁江		上海博物館
1231	海屋添籌圖	清	袁江		中國美術館
1232	花果圖	清	袁江		故宫博物院
1234	艚篷出峽圖	清	上官周		北京榮寶齋
1234	臺閣春光圖	清	上官周		上海博物館
1235	廬山觀蓮圖	清	上官周		中國美術館
1235	江樓對弈圖	清	顔嶧		廣東省廣州美術館
1236	秋林舒嘯圖	清	顔嶧		遼寧省博物館
1237	秋山行旅圖	清	顔嶧		故宫博物院
1237	桃柳八哥圖	清	馬元馭		上海博物館
1238	仿宋人寫生花卉圖	清	馬元馭		首都博物館
1239	南溪春曉圖	清	馬元馭		南京博物院
1239	幽蘭叢竹圖	清	蔣廷錫		南京博物院
1240	桂花圖	清	蔣廷錫		臺北故宫博物院
1240	芙蓉鷺鷥圖	清	蔣廷錫		故宫博物院
1241	洞庭秋月圖	清	王愫		上海博物館
1241	摹仇英西園雅集圖	清	丁觀鵬		臺北故宫博物院

頁碼	名稱	時代	作者	來源	收藏地
1242	弘曆洗象圖	清	丁觀鵬		故宫博物院
1243	無量壽佛圖	清	丁觀鵬		故宫博物院
1243	寒林覓句圖	清	陳枚		故宫博物院
1244	月漫清游圖	清	陳枚		故宫博物院
1246	仿范寬畫幅圖	清	唐岱		臺北故宫博物院
1246	夏日山居圖	清	唐岱		河北省博物館
1247	山水圖	清	唐岱		故宫博物院
1247	花鳥圖	清	余省		江蘇省常熟博物館
1248	鷺鷥圖	清	余省		江蘇省常熟博物館
1248	桐蟬圖	清	余省		江蘇省常熟博物館
1249	雜畫	清	余省		上海博物館
1250	端陽景圖	清	余穉		故宫博物院
1250	鳩雀争春圖	清	余穉		故宫博物院
1251	蒲塘秋艷圖	清	惲冰		故宫博物院
1251	春風鸜鵒圖	清	惲冰		上海博物館
1252	花鳥草蟲圖	清	馬荃		南京博物院
1253	鸜鵒雙栖圖	清	華喦		遼寧省博物館
1253	松鶴圖	清	華喦		廣東省廣州美術館
1254	山雀愛梅圖	清	華喦		天津博物館
1255	金谷園圖	清	華喦		上海博物館
1255	蘇小小梳妝圖	清	華喦		吉林省博物院
1256	三獅圖	清	華喦		山西博物院
1256	天山積雪圖	清	華喦		故宫博物院
1257	海棠禽兔圖	清	華喦		故宫博物院
1258	萬壑松風圖	清	華喦		瀋陽故宫博物院
1258	柏鹿圖	清	沈銓		江蘇省蘇州博物館
1259	蜂猴圖	清	沈銓		故宫博物院
1259	松鶴圖	清	沈銓		四川博物院
1260	雜畫	清	高鳳翰		遼寧省博物館
1261	山水圖	清	高鳳翰		山東省博物館
1262	山水圖	清	高鳳翰		瀋陽故宫博物院
1263	花卉圖	清	高鳳翰		重慶市博物館
1264	自畫像	清	高鳳翰		故宫博物院
1265	野趣圖	清	高鳳翰		山東省博物館

頁碼	名稱	時代	作者	來源	收藏地
1289	八駿圖	清	郎世寧		臺北故宮博物院
1290	花鳥圖	清	郎世寧		故宮博物院
1292	竹蔭西猞圖	清	郎世寧		瀋陽故宮博物院
1293	平安春信圖	清	郎世寧		故宮博物院
1294	山水圖	清	高翔		上海博物館
1295	揚州即景圖	清	高翔		故宮博物院
1296	彈指閣圖	清	高翔		江蘇省揚州博物館
1297	華清出浴圖	清	康濤		天津博物館
1297	桃花圖	清	鄒一桂		故宮博物院
1298	十香圖	清	鄒一桂		臺北故宮博物院
1299	溪橋深翠圖	清	方琮		廣東省博物館
1300	秋夜讀書圖	清	蔡嘉		故宮博物院
1300	古木飛泉圖	清	蔡嘉		首都博物館
1301	層岩樓石圖	清	蔡嘉		重慶市博物館
1301	神龜圖	清	蔡嘉		遼寧省旅順博物館
1302	荷花圖	清	李葂		江蘇省蘇州博物館
1302	北山古屋圖	清	方士庶		江蘇省美術館
1303	仿古山水圖	清	方士庶		上海博物館
1304	竹石圖	清	鄭燮		天津博物館
1304	懸崖蘭竹圖	清	鄭燮		故宮博物院
1305	蘭竹石圖	清	鄭燮		江蘇省揚州博物館
1305	梅竹圖	清	鄭燮		故宮博物院
1306	竹石圖	清	鄭燮		上海博物館
1307	雙松圖	清	鄭燮		山東省博物館
1307	甘谷菊泉圖	清	鄭燮		南京博物院
1308	叢竹圖	清	鄭燮		瀋陽故宮博物院
1308	梅花圖	清	李方膺		江蘇省南通博物苑
1309	鮎魚圖	清	李方膺		江蘇省揚州博物館
1310	游魚圖	清	李方膺		故宮博物院
1310	盆蘭圖	清	李方膺		江蘇省揚州博物館
1311	蘭花圖	清	李方膺		北京藝術博物館
1312	瀟湘風竹圖	清	李方膺		南京博物院
1312	竹石圖	清	李方膺		遼寧省博物館
1313	松石圖	清	李方膺		江蘇省蘇州博物館

頁碼	名稱	時代	作者	來源	收藏地
1313	亭林山色圖	清	李世倬		上海博物館
1314	連理杉圖	清	李世倬		臺北故宫博物院
1314	溪山雪霽圖	清	李世倬		首都博物館
1315	雜畫	清	杭世駿		上海博物館
1316	翠岩紅樹圖	清	董邦達		臺北故宫博物院
1316	烟磴寒林圖	清	董邦達		故宫博物院
1317	十駿馬圖	清	王致誠		故宫博物院
1318	寶吉騮圖	清	艾啓蒙		故宫博物院
1318	風狸圖	清	艾啓蒙		臺北故宫博物院
1319	南山積翠圖	清	王昱		故宫博物院
1319	仿李成暮霞殘雪圖	清	王昱		首都博物館
1320	重林複嶂圖	清	王昱		上海博物館
1320	雅宜山齋圖	清	張洽		廣東省博物館
1321	山水圖	清	錢維城		首都博物館
1321	洋菊圖	清	錢維城		臺北故宫博物院
1322	羅漢圖	清	金廷標		故宫博物院
1322	負擔圖	清	金廷標		故宫博物院
1323	蓮塘納凉圖	清	金廷標		上海博物館
1324	邗江勝覽圖	清	袁耀		故宫博物院
1325	紫府仙居圖	清	袁耀		上海博物館
1326	盤車圖	清	袁耀		山東省博物館
1326	阿房宫圖	清	袁耀		南京博物院
1327	巫峽秋濤圖	清	袁耀		首都博物館
1327	雙松并茂圖	清	王宸		浙江省杭州市西泠印社
1328	仿各家山水圖	清	王宸		廣東省廣州美術館
1329	袁安卧雪圖	清	孫祐		故宫博物院
1329	秋山樓閣圖	清	孫祐		臺北故宫博物院
1330	林麓秋晴圖	清	弘旿		臺北故宫博物院
1330	竹林聽泉圖	清	沈宗騫		上海博物館
1331	山水圖	清	沈宗騫		江蘇省常熟博物館
1332	月下墨梅圖	清	童鈺		江蘇省揚州博物館
1332	八子觀燈圖	清	閔貞		江蘇省揚州博物館
1333	扶杖觀瀑圖	清	閔貞		首都博物館
1333	紈扇仕女圖	清	閔貞		上海博物館

頁碼	名稱	時代	作者	來源	收藏地
1334	巴慰祖像	清	閔貞		故宮博物院
1334	護法觀音圖	清	閔貞		上海博物館
1335	丁敬像	清	羅聘		浙江省博物館
1335	劍閣圖	清	羅聘		故宮博物院
1336	人物山水圖	清	羅聘		故宮博物院
1338	梅竹雙清圖	清	羅聘		遼寧省博物館
1338	三色梅圖	清	羅聘		吉林省博物院
1339	筤谷圖	清	羅聘		江蘇省蘇州博物館
1340	湘潭秋意圖	清	羅聘		上海博物館
1340	賁鹿圖	清	賀清泰		故宮博物院
1341	山水圖	清	方薰		江蘇省常熟博物館
1342	摹宋人花卉圖	清	方薰		上海博物館
1344	梅下賞月圖	清	余集		上海博物館
1344	秋風歸牧圖	清	錢澧		上海博物館
1345	三馬圖	清	錢澧		上海博物館
1345	重岩暮靄圖	清	潘恭壽		江蘇省泰州市博物館
1346	山水圖	清	潘恭壽		上海博物館
1347	書畫詩翰圖	清	黄易		私人處
1348	嵩洛訪碑圖	清	黄易		故宮博物院
1349	岩居秋爽圖	清	奚岡		故宮博物院
1349	花卉圖	清	奚岡		上海博物館
1350	疏林霜葉圖	清	奚岡		首都博物館
1350	仿王蒙山水圖	清	黎簡		廣東省博物館
1351	爲虚舟作山水圖	清	黎簡		廣東省廣州美術館
1351	江瀨山光圖	清	黎簡		上海博物館
1353	京口三山圖	清	張崟		故宮博物院
1354	桂蔭凉適圖	清	張崟		廣東省廣州美術館
1354	春流出峽圖	清	張崟		南京博物院
1355	人物山水圖	清	錢杜		上海博物館
1356	紫瑯仙館圖	清	錢杜		故宮博物院
1356	著書圖	清	錢杜		上海博物館
1357	上塞錦林圖	清	關槐		故宮博物院
1357	溪閣納凉圖	清	關槐		浙江省博物館
1358	花果圖	清	陳鴻壽		上海博物館

頁碼	名稱	時代	作者	來源	收藏地
1359	善權石室圖	清	陳鴻壽		浙江省博物館
1359	元機詩意圖	清	改琦		故宮博物院
1360	竹下仕女圖	清	改琦		廣東省廣州美術館
1360	逗秋小閣學書圖	清	改琦		上海博物館
1361	錢東像	清	改琦		故宮博物院
1361	仿清湘山水圖	清	虞蟾		江蘇省美術館
1362	秋坪閑話圖	清	湯貽汾		故宮博物院
1363	梅花圖	清	羅芳淑		上海博物館
1364	雙勾竹石圖	清	趙之琛		浙江省博物館
1364	鍾馗圖	清	王素		上海博物館
1365	東山報捷圖	清	蘇六朋		廣東省廣州美術館
1366	清平調圖	清	蘇六朋		廣東省廣州美術館
1366	太白醉酒圖	清	蘇六朋		上海博物館
1367	曲水流觴圖	清	蘇六朋		廣東省廣州美術館
1367	執扇倚秋圖	清	費丹旭		上海博物館
1368	倚欄圖	清	費丹旭		重慶市博物館
1369	姚燮懺綺圖	清	費丹旭		故宮博物院
1370	十二金釵圖	清	費丹旭		故宮博物院
1371	送子得魁圖	清	任淇		浙江省博物館
1371	長松竹石圖	清	戴熙		首都博物館
1372	雲嵐烟翠圖	清	戴熙		山東省青島市博物館
1372	重巒密樹圖	清	戴熙		上海博物館
1373	山水圖	清	戴熙		故宮博物院
1374	憶松圖	清	戴熙		故宮博物院
1375	聽阮圖	清	劉彦冲		故宮博物院
1376	山水圖	清	劉彦冲		故宮博物院
1376	山水圖	清	劉彦冲		上海博物館
1377	人物花鳥圖	清	居巢		廣東省廣州美術館
1378	五福圖	清	居巢		廣東省博物館
1378	仿元人花卉小品圖	清	居巢		廣東省博物館
1379	八仙圖	清	蘇長春		廣東省廣州美術館
1379	山居水榭圖	清	蘇長春		廣東省博物館
1380	五羊仙迹圖	清	蘇長春		廣東省廣州美術館
1380	蕉梅錦鷄圖	清	王禮		故宮博物院

頁碼	名稱	時代	作者	來源	收藏地
1381	崇山納凉圖	清	羅清		廣東省廣州美術館
1381	蘭竹石圖	清	羅清		廣東省廣州美術館
1382	范湖草堂圖	清	任熊		上海博物館
1384	自畫像	清	任熊		故宮博物院
1384	瑶宫秋扇圖	清	任熊		南京博物院
1385	人物圖	清	任熊		廣東省廣州美術館
1386	十萬圖	清	任熊		故宮博物院
1388	姚大梅詩意圖	清	任熊		故宮博物院
1389	松鶴延年圖	清	虛谷		江蘇省蘇州博物館
1390	梅鶴圖	清	虛谷		故宮博物院
1390	沈麟元药山釣徒圖	清	虛谷		故宮博物院
1391	五色牡丹圖	清	虛谷		北京市文物商店
1391	枇杷圖	清	虛谷		南京博物院
1392	雜畫	清	虛谷		上海博物館
1393	花鳥圖	清	虛谷		南京博物院
1394	山水圖	清	虛谷		上海博物館
1395	梅石圖	清	胡公壽		首都博物館
1395	花鳥圖	清	朱偁		故宮博物院
1396	桃花白頭圖	清	朱偁		上海博物館
1396	富貴白頭圖	清	居廉		故宮博物院
1397	花卉昆蟲圖	清	居廉		故宮博物院
1399	墨松圖	清	趙之謙		故宮博物院
1399	牡丹圖	清	趙之謙		故宮博物院
1400	古柏圖	清	趙之謙		天津博物館
1400	花卉圖	清	趙之謙		上海博物館
1401	積書岩圖	清	趙之謙		上海博物館
1402	天竺水仙圖	清	蒲華		上海博物館
1402	習静愛山居圖	清	蒲華		上海朵雲軒
1403	富貴壽考圖	清	錢慧安		天津博物館
1403	麻姑獻壽圖	清	任薰		江蘇省常熟博物館
1404	花鳥圖	清	任薰		廣東省廣州美術館
1405	花鳥圖	清	任薰		故宮博物院
1406	松菊錦鷄圖	清	任薰		故宮博物院
1406	仕女圖	清	胡錫珪		故宮博物院

頁碼	名稱	時代	作者	來源	收藏地
1407	新秋鵝浴圖	清	任頤		南京博物院
1407	支遁愛馬圖	清	任頤		上海博物館
1408	雪中送炭圖	清	任頤		上海博物館
1408	高邕像	清	任頤		故宫博物院
1409	牡丹圖	清	任頤		吉林省博物院
1409	朱竹鳳凰圖	清	任頤		江蘇省常熟博物館
1410	人物花鳥圖	清	任頤		故宫博物院
1412	寒林牧馬圖	清	任頤		中國美術館
1412	飯石山農像	清	任頤		上海博物館
1413	酸寒尉像	清	任頤		浙江省博物館
1414	菊花圖	清	吴昌碩		上海博物館
1414	紫藤圖	清	吴昌碩		故宫博物院
1415	葫蘆圖	清	吴昌碩		上海人民美術出版社
1415	梅花圖	清	吴昌碩		上海博物館
1416	桃實圖	清	吴昌碩		上海博物館
1416	富貴神仙圖	清	吴昌碩		浙江省杭州市西泠印社
1417	山水圖	清	吴昌碩		中國美術館
1418	怡園主人像	清	吴穀祥		故宫博物院
1418	秋山夕照圖	清	吴石仙		上海博物館
1419	松風蕭寺圖	清	陸恢		上海朵雲軒
1419	金明齋像	清	任預		故宫博物院
1420	翠竹白猿圖	清	任預		南京博物院
1420	昭君出塞圖	清	倪田		故宫博物院

1421 年　表

鄭　旼（公元1632－1683年）

清代畫家。歙縣（今屬安徽）人。字慕倩，號遺甦。工詩文，善畫山水。爲“新安畫派”名家之一。

越溪采薪圖

清

鄭旼

高137.8、寬71.8厘米。

紙本，水墨。

現藏浙江省博物館。

九龍潭圖

清

鄭旼

高75.3、寬28.1厘米。

紙本，設色。

現藏故宫博物院。

王　武（公元1632－1690年）

清代畫家。吴縣（今江蘇蘇州）人。字勤中，號雪顛道人，晚年自號忘庵。長于詩學，善畫花鳥。

鴛鴦白鷺圖

清

王武

高156.3、寬74.1厘米。

絹本，設色。

現藏上海博物館。

水仙柏石圖

清

王武

高134.3、寬63.8厘米。

紙本，設色。

現藏故宫博物院。

松竹白頭圖

清
王武
高102、寬49.2厘米。
紙本，設色。
現藏故宫博物院。

秋葵蛺蝶圖（右圖）

清
王武
高122、寬34厘米。
絹本，設色。
現藏遼寧省博物館。

王　翬（公元1632－1717年）

清代畫家。常熟（今屬江蘇）人。字石谷，號耕烟山人、烏月山人、清暉主人等。從學王鑑、王時敏，悉心臨摹歷代名作，能兼容各派，功力深厚。從學弟子很多，稱“虞山派”；爲“清六家”之一。

萬壑千崖圖

清

王翬

高177.5、寬98.4厘米。

紙本，設色。

現藏首都博物館。

唐人詩意圖

清

王翬

高156.7、寬61.2厘米。

絹本，設色。

現藏上海博物館。

關山秋霽圖

清

王翬

高215.9、寬113.8厘米。

絹本，水墨。

現藏故宫博物院。

藤薛喬松圖

清

王翬

高45.4、寬20.5厘米。

紙本，設色。

現藏故宫博物院。

仿巨然夏山圖

清

王翬

高136.5、寬48厘米。

紙本，水墨。

現藏首都博物館。

萬壑松風圖

清

王翬

高97、寬43厘米。

紙本，設色。

現藏上海博物館。

千岩萬壑圖

清

王翬

高254.1、寬103厘米。

紙本，水墨淡設色。

現藏臺北故宮博物院。

仿宋元山水圖（選二開）

清

王翬

高29.3、寬26.1厘米。

紙本，水墨或設色。共十二開。

現藏臺北故宮博物院。

仿宋元山水圖之一

仿宋元山水圖之二

放翁詩意圖（選二開）

清

王翬

高29.5、寬42厘米。

紙本，設色。共十二開。

現藏廣東省博物館。

放翁詩意圖之一

放翁詩意圖之二

雲溪草堂圖

清

王翬

高39.6、寬278厘米。

絹本，設色。

現藏臺北故宫博物院。

雲溪草堂圖
己卯秋初爲
辛齋先生畫
海虞王翬

江南春詞圖

清

王翬

高34.8、寬155.5厘米。

紙本，設色。

現藏吉林省博物院。

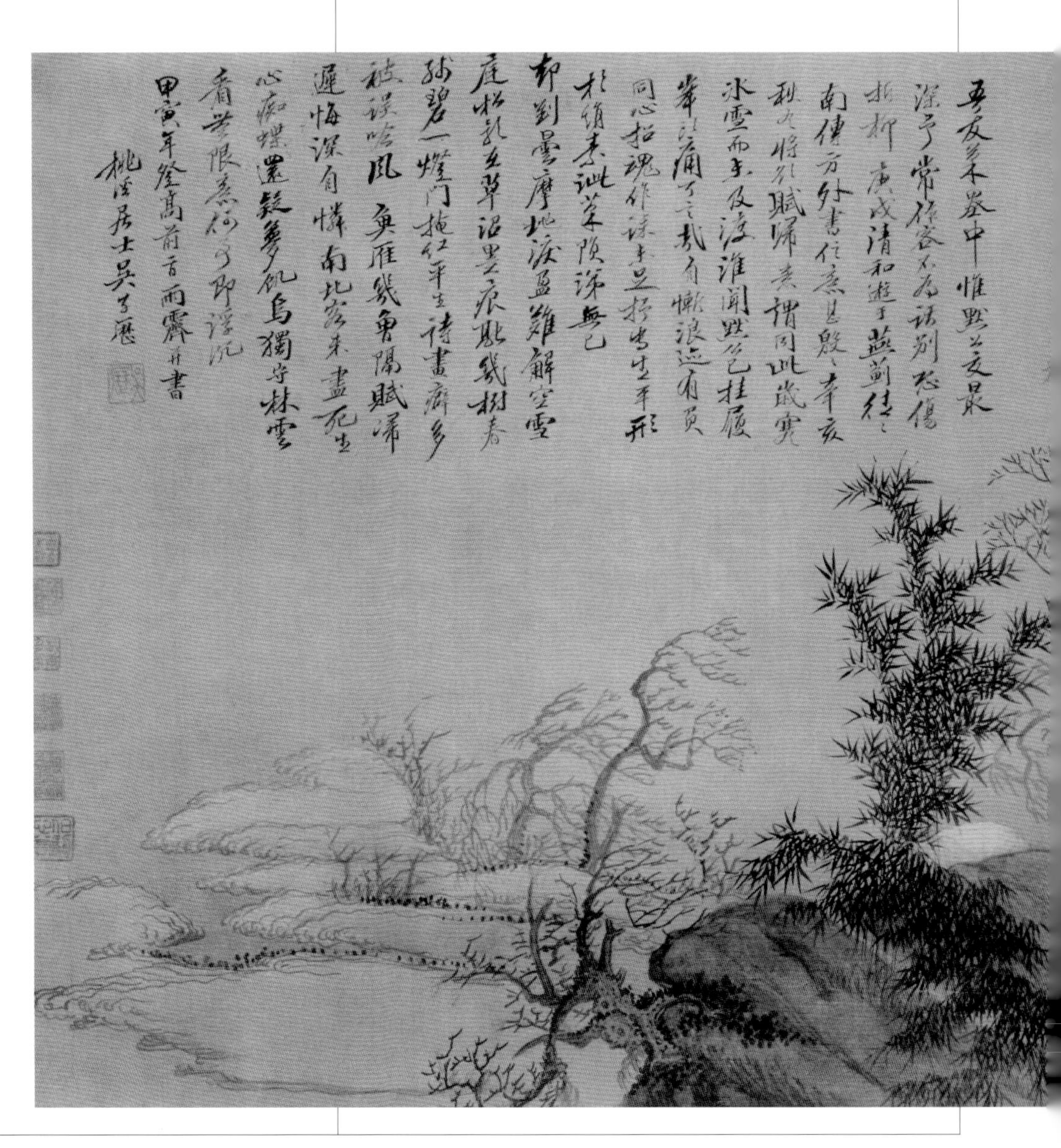

吴　歷（公元1632－1718年）

清代畫家。常熟（今屬江蘇）人。本名啓歷，字漁山，號桃溪居士。因所居有言子墨井，又號墨井道人。工詩，擅畫山水，師于王鑑、王時敏，集各家之長，自成一格。爲"清六家"之一。

興福感舊圖

清

吴歷

高36.7、寬85.7厘米。

絹本，設色。

現藏故宫博物院。

湖天春色圖

清

吴歷

高123.5、寬62厘米。

紙本，設色。

現藏上海博物館。

晴雲洞壑圖

清
吴歷
高127、寬68.3厘米。
絹本，設色。
現藏遼寧省旅順博物館。

静深秋曉圖（右圖）

清
吴歷
高95.3、寬24厘米。
紙本，設色。
現藏南京博物院。

雪白山青圖

清

吴歷

高25.9、寬117.2厘米。

絹本，設色。

現藏臺北故宮博物院。

夕陽秋影圖

清

吴歷

高75.2、寬35.3厘米。

紙本，設色。

現藏遼寧省博物館。

惲壽平（公元1633－1690年）

清代畫家。武進（今江蘇常州）人。初名格，字壽平，後以字行，改字正叔，號南田，一號白雲外史、雲溪外史等。初畫山水，後工没骨花卉，獨具一格，是清代初期影響很大的花鳥畫家。學者衆多，形成“常州派”；爲“清六家”之一。

錦石秋花圖

清

惲壽平

高140.5、寬58.6厘米。

紙本，設色。

現藏南京博物院。

山水花鳥圖（選二開）

清

惲壽平

高27.5、寬35.2厘米。

紙本，設色。共十開。

現藏故宮博物院。

山水花鳥圖之一

山水花鳥圖之二

山水圖

清

惲壽平

高86.1、寬49.4厘米。

紙本，水墨。

現藏臺北故宫博物院。

晴川攬勝圖（右圖）

清

惲壽平

高112、寬39.1厘米。

綾本，設色。

現藏遼寧省博物館。

山水圖（選二開）

清

惲壽平

高23.4、寬26.8厘米。

紙本，水墨或設色。共八開。

現藏臺北故宮博物院。

山水圖之一

山水圖之二

花卉圖（選四開）

清

惲壽平

高29.9、寬22.2厘米。

絹本，設色。共八開。

現藏上海博物館。

花卉圖之一

花卉圖之二

花卉圖之三

花卉圖之四

花卉圖（選四開）

清

惲壽平

高26.7、寬40.3厘米。
紙本，設色。共八開。
現藏臺北故宫博物院。

花卉圖之一

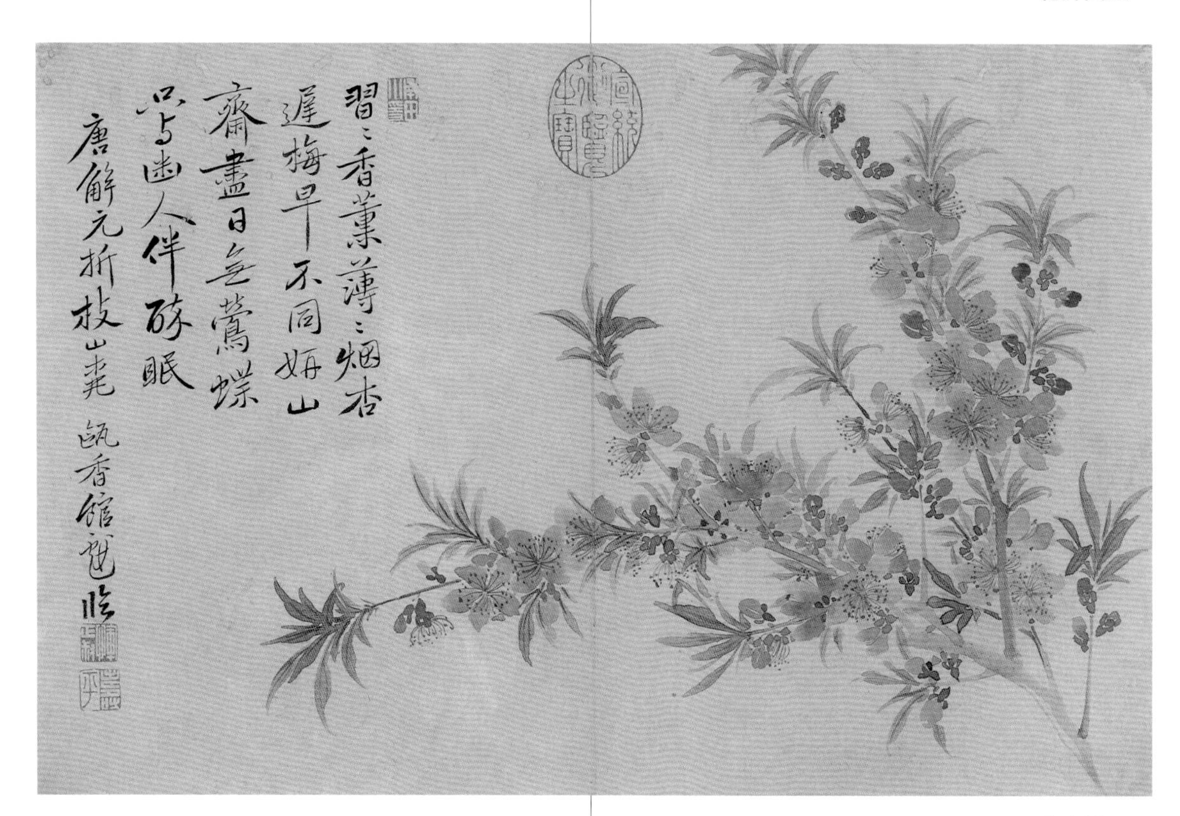

花卉圖之二

花卉圖之三

花卉圖之四

花果圖（選二開）

清

惲壽平

高26.5、寬35.7厘米。

紙本，設色。共十開。

現藏遼寧省旅順博物館。

花果圖之一

花果圖之二

花卉圖

清

惲壽平

高116.5、寬54.2厘米。

絹本，設色。

現藏臺北故宫博物院。

文　點（公元1633–1704年）

清代畫家。長洲（今江蘇蘇州）人。字與也，號南雲山樵。擅畫山水，兼畫人物、松竹。

秋林過雨圖

清

文點

高146.6、寬62.2厘米。

絹本，水墨。

現藏上海博物館。

扶杖聽泉圖

清
文點
高24.5、寬33厘米。
紙本，水墨。
現藏首都博物館。

顧符稹（公元1634－？年）

清代畫家。興化（今屬江蘇）人。符稹，一作符禎，字瑟如，號小痴。能詩，工書。擅畫人物和山水。

桃源圖

清
顧符稹
高34.1、寬46.7厘米。
絹本，設色。
現藏上海博物館。

李寅

清代畫家。揚州（今屬江蘇）人。字白也，號東柯。善畫山水，又善畫桃花楊柳。

盤車圖

清

李寅

高133.5、寬73.5厘米。

絹本，設色。

現藏故宮博物院。

高　簡（公元1634－1707年）

清代畫家。吴縣（今江蘇蘇州）人。字澹游，號一雲山人。工山水，精于小品。

仿宋元山水圖（選二幅）

清

高簡

均高22、寬49厘米。

紙本，設色。共八幅。

現藏上海博物館。

仿宋元山水圖之一

仿宋元山水圖之二

仿古山水圖（選二開）

清

高簡

高28.2、寬37.6厘米。

紙本，設色。共十三開。

現藏上海博物館。

仿古山水圖之一

仿古山水圖之二

上　睿（公元1634－？年）

清代畫家。蘇州（今屬江蘇）人。字潯濬，號目存，又號蒲室子、童心和尚。工詩擅畫，山水法王翬，花鳥師惲壽平，人物得古法。

携琴訪友圖

清

上睿

高28.1、寬107.3厘米。

紙本，設色。

現藏遼寧省旅順博物館。

陳　卓（公元1634－?年）

清代畫家。京師（今北京）人，居金陵（今江蘇南京）。字中立，晚號純痴老。善畫青緑山水。

石城圖

清

陳卓

高30.5、寬147.5厘米。

紙本，設色。

現藏故宫博物院。

江山樓閣圖

清

陳卓

高221.2、寬119.5厘米。

紙本，設色。

現藏首都博物館。

青山白雲圖

清
陳卓
高176.4、寬47.6厘米。
絹本，設色。
現藏南京博物院。

陳　字（公元1634－?年）

清代畫家。諸暨（今屬浙江）人。初名儒禎，字無名，又字名儒，號小蓮，又號酒道人。陳洪綬之子。善畫人物、花卉。畫承家法，亦善書。

桃花蛺蝶圖

清
陳字
高70.7、寬28.8厘米。
絹本，設色。
現藏上海博物館。

焦秉貞

清代畫家。濟寧（今屬山東）人。康熙年間供奉內廷，官欽天監五官正。常與西方教士相伴，熟知西畫技法。擅長肖像畫和工筆花卉。

仕女圖之一

仕女圖（選二開）

清

焦秉貞

高30.2、寬21.3厘米。

絹本，設色。共十二開。

現藏故宮博物院。

仕女圖之二

藍深

清代畫家。錢塘（今浙江杭州）人。字謝青。藍孟之子。工畫花鳥，山水得家傳。爲“武林派”畫家之一。

垂釣圖
清
藍深
高150.1、寬42.5厘米。
紙本，設色。
現藏上海博物館。

雷峰夕照圖
清
藍深
高179.4、寬47.6厘米。
絹本，設色。
現藏浙江省博物館。

藍 濤

清代畫家。錢塘（今浙江杭州）人。字雪坪，號豫庵。藍深弟。善山水，兼工花卉。爲“武林派”畫家之一。

消夏圖

清

藍濤

高128、寬49.8厘米。

紙本，設色。

現藏上海博物館。

寒香幽鳥圖

清

藍濤

高143.8、寬42.2厘米。

絹本，設色。

現藏浙江省博物館。

冷 枚

清代畫家。膠州（今屬山東）人。字吉臣，號金門外史。焦秉貞弟子，内廷供奉。擅畫人物、仕女，參以西法。亦工山水畫和界畫。

避暑山莊圖

清

冷枚

高254.8、寬172厘米。

絹本，設色。

現藏故宫博物院。

梧桐雙兔圖

清
冷枚
高176.2、寬95厘米。
絹本，設色。
現藏故宫博物院。

柳　遇

清代畫家。吴縣（今江蘇蘇州）人。字仙期。善人物寫真、山水樹石、界畫樓臺。

罌粟圖

清
柳遇
高71.9、寬39.9厘米。
絹本，設色。
現藏臺北故宫博物院。

梅　庚（公元1640－約1722年）

清代畫家。宣城（今屬安徽）人。字耦長，一字耦耕、子長，號雪坪、聽山翁等。梅清從孫。工詩書，擅繪畫，尤善山水、花卉。爲“黄山派”名家。

敬亭棹歌圖

清

梅庚

高71.8、寬47厘米。

紙本，水墨。

現藏安徽省博物館。

秋林書屋圖

清

梅庚

高147.6、寬67.4厘米。

紙本，水墨。

現藏上海博物館。

梅翀

清代畫家。宣城（今屬安徽）人。字培翌，號文脊山人。梅清從孫。畫松石有奇趣，偶爲梅清代筆。

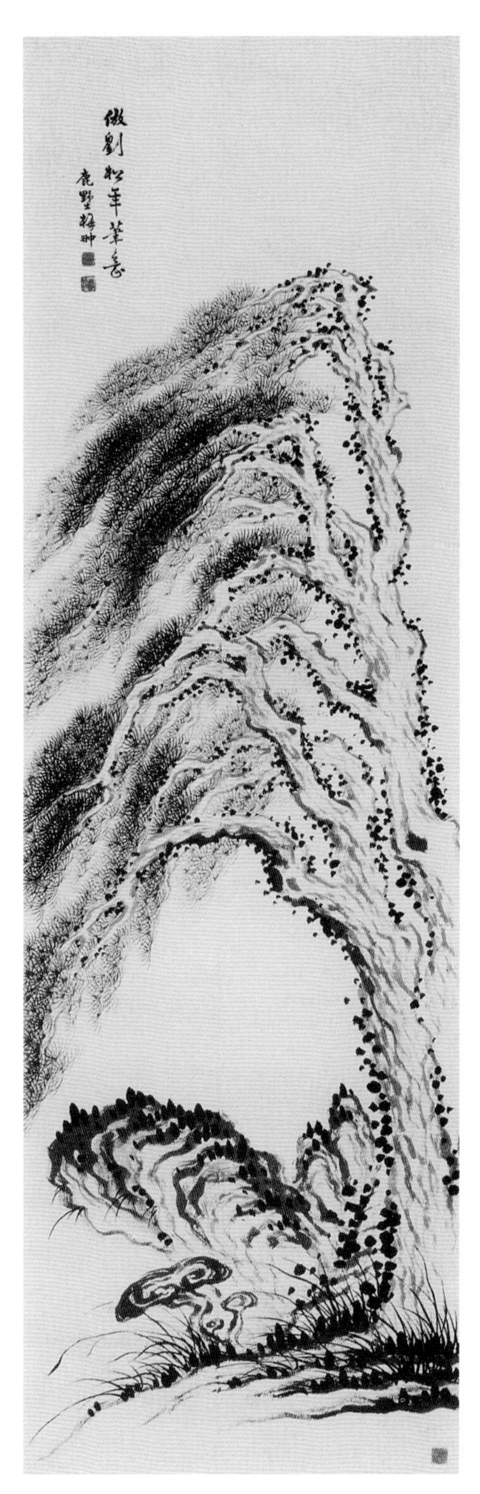

松石圖

清

梅翀

高154、寬47.3厘米。

紙本，水墨。

現藏上海博物館。

劉源

清代畫家。祥符（今河南開封）人。字伴阮。清康熙時召入内廷，官至工部侍郎。善山水、人物和寫意花鳥。

墨竹圖

清

劉源

高137.8、寬50.7厘米。

綾本，水墨。

現藏故宫博物院。

王原祁（公元1642－1715年）

清代畫家。太倉（今屬江蘇）人。字茂京，號麓臺，一號石師道人。王時敏之孫。康熙九年（公元1670年）進士，任翰林供奉内廷，充書畫譜館總裁、《佩文齋書畫譜》纂輯官，升户部侍郎，故亦稱“王司農”。能繼承祖法，以“元四家”爲宗，尤宗黄公望。善畫淺絳山水。爲“清六家”之一。弟子頗多，稱“婁東派”。

仿高房山雲山圖

清

王原祁

高113.6、寬54.4厘米。

紙本，設色。

現藏上海博物館。

山中早春圖

清

王原祁

高100、寬44.7厘米。

紙本，設色。

現藏遼寧省博物館。

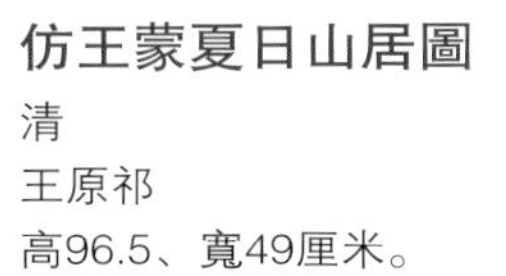

仿王蒙夏日山居圖

清

王原祁

高96.5、寬49厘米。

紙本，設色。

現藏臺北故宮博物院。

竹溪松嶺圖

清

王原祁

高26.8、寬417.7厘米。

紙本，水墨。

現藏故宮博物院。

竹溪漁浦
松嶺雲巖

盧鴻草堂十志圖（選二開）

清

王原祁

高28.3、寬29厘米。

紙本，水墨或設色。

共十開。

現藏故宮博物院。

盧鴻草堂十志圖之一

盧鴻草堂十志圖之二

畫中有詩圖

清

王原祁

高97.8、寬43.4厘米。

紙本，設色。

現藏臺北故宮博物院。

江鄉春曉圖

清

王原祁

高135、寬58.6厘米。

紙本，設色。

現藏江蘇省蘇州博物館。

春雲出岫圖
清
王原祁
高124、寬71厘米。
絹本，設色。
現藏臺北故宮博物院。

陸　暭（公元？－1716年）

清代畫家。遂昌（今屬浙江）人，居松江（今上海）。字日爲，號遂山樵。善山水，初學米法，後自成一格。

關山行旅圖

清
陸暭
高241.5、寬129.6厘米。
絹本，設色。
現藏上海博物館。

長松圖

清
陸暭
高315.9、寬129.1厘米。
紙本，設色。
現藏臺北故宮博物院。

石　濤（公元1642－1707年）

清代畫家。全州（今屬廣西）人。俗姓朱，名若極。明宗室，明亡後爲僧，法名原濟，亦作元濟，號石濤，又號苦瓜和尚、大滌子、清湘老人，晚號瞎尊者、零丁老人等。擅畫山水，常體察自然景物，主張“搜盡奇峰打草稿”。所畫山水、蘭竹、花果、人物，講求獨創，筆墨恣肆，意境蒼莽新奇，對揚州畫派和近代中國畫影響很大。爲“清初四僧”之一。著有《苦瓜和尚畫語録》，後人輯有《大滌子題畫詩跋》。

搜盡奇峰圖

清

石濤

高42.8、寬285.5厘米。

紙本，水墨。

現藏故宮博物院。

蕉菊圖

清

石濤

高91.8、寬49.5厘米。

紙本，水墨。

現藏故宮博物院。

山水圖

清

石濤

高309.5、寬132.3厘米。

紙本，水墨。

現藏四川博物院。

細雨虬松圖

清

石濤

高100.8、寬43.3厘米。

紙本，設色。

現藏上海博物館。

竹石圖

清

石濤

高40、寬517厘米。

紙本，水墨。

現藏故宮博物院。

高呼與可

梅花圖

清

石濤

高34.2、寬194.4厘米。紙本，水墨。現藏故宮博物院。

清（公元一六四四年至公元一九一一年）

巢湖圖

清

石濤

高96.5、寬41.5厘米。

紙本，設色。

現藏天津博物館。

對菊圖

清

石濤

高99.6、寬40.3厘米。

紙本，設色。

現藏故宮博物院。

山水清音圖

清

石濤

高103、寬42.5厘米。

紙本，水墨。

現藏上海博物館。

游華陽山圖

清

石濤

高239.6、寬102.3厘米。

紙本，設色。

現藏上海博物館。

淮揚潔秋圖

清

石濤

高89.3、寬57.1厘米。

紙本，設色。

現藏南京博物院。

楊　晉（公元1644－1728年）

清代畫家。常熟（今屬江蘇）人。字子和，一字子鶴，號西亭、谷林樵客等。工書善畫，長于山水，亦兼繪人物、花卉。尤擅畫牛，能寫其意。

牧牛圖

清

楊晉

高132.5、寬70.2厘米。

絹本，設色。

現藏吉林省博物院。

石谷騎牛圖

清

楊晉

高81.6、寬33.5厘米。

紙本，設色。

現藏故宮博物院。

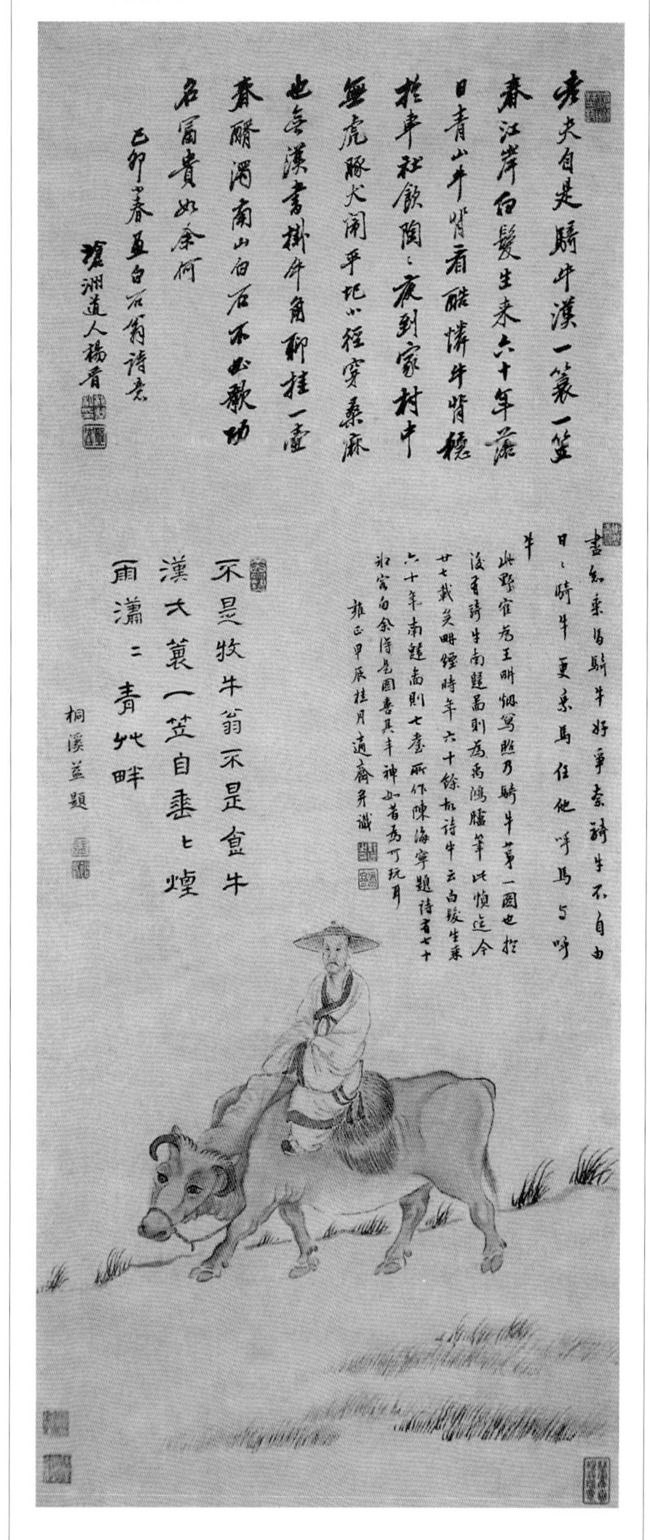

山水花鳥圖（選二開）

清
楊晋
高26.8、寬35厘米。
紙本，設色。
共十二開。
現藏上海博物館。

山水花鳥圖之一

山水花鳥圖之二

王　概（公元1645－約1710年）

清代畫家。秀水（今浙江嘉興）人，居金陵（今江蘇南京）。初名丐，字東郭，後改今名，字安節。以賣畫爲生。擅山水、花鳥、人物，山水學龔賢。

山水圖（選二開）

清

王概

高21.7、寬18厘米。

紙本，水墨。

現藏天津博物館。

山水圖之一

山水圖之二

秋關喜客圖

清

王概

高215.5、寬79.5厘米。

紙本，設色。

現藏山西博物院。

姜實節（公元1647－1709年）

清代畫家。萊陽（今屬山東）人，寄居蘇州（今屬江蘇）。字學在，號鶴澗、思未。工詩，善書畫。山水師法倪瓚。

一壑泉聲圖

清

姜實節

高99.3、寬46.4厘米。

紙本，水墨。

現藏上海博物館。

秋山亭子圖

清

姜實節

高80.5、寬31.6厘米。

紙本，水墨。

現藏上海博物館。

禹之鼎（公元1647－1716年）

清代畫家。江都（治今江蘇揚州）人。字尚吉，一作上吉，號慎齋。幼年師藍瑛。善畫人物、仕女，尤工肖像，多作白描，用蘭葉描寫衣紋。當時很多名人請他寫照。

江鄉清曉圖

清

禹之鼎

高181.7、寬96.3厘米。

絹本，設色。

現藏遼寧省旅順博物館。

竹溪讀易圖

清

禹之鼎

高30.3、寬66.5厘米。

絹本，設色。

現藏首都博物館。

王原祁藝菊圖

清

禹之鼎

高32.4、寬136.4厘米。

絹本，設色。

現藏故宫博物院。

竹溪讀易圖

山水圖

清

禹之鼎

高105.8、寬48厘米。

紙本，水墨。

現藏臺北故宮博物院。

姚　宋（公元1648－?年）

清代畫家。歙縣（今屬安徽）人。初名雯，字雨金，一作羽京，號野梅、三中子。寓居蕪湖（今屬安徽）。山水初學弘仁，既而博采諸家，長于畫石、人物、花鳥。爲“新安派”畫家之一。

黄海松石圖

清

姚宋

高131.7、寬70.3厘米。

紙本，水墨。

現藏上海博物館。

谿山茅亭圖

清
姚宋
高127.5、寬54.5厘米。
紙本，設色。
現藏江蘇省鎮江博物館。

王樹穀（公元1649－?年）

清代畫家。仁和（今浙江杭州）人。字原豐，號無我、鹿公，又號方外布衣。工寫人物，筆法學陳洪綬。

弄胡琴圖

清
王樹穀
高90.6、寬50厘米。
絹本，設色。
現藏故宮博物院。

雜畫（選二開）

清

王樹穀

高23.8、寬33.3厘米。

紙本，設色。共八開。

現藏浙江省博物館。

雜畫之一

雜畫之二

人物圖（選二開）

清

王樹穀

高19、寬26厘米。

紙本，水墨。

現藏上海博物館。

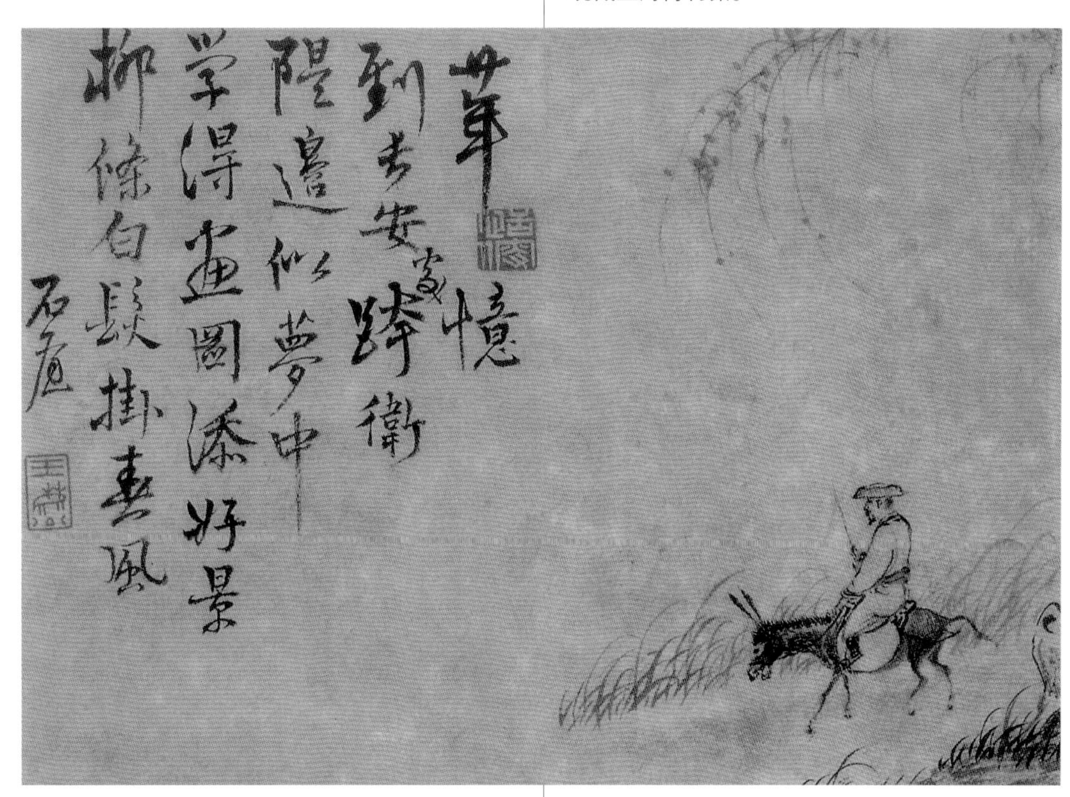

人物圖之一

人物圖之二

黄　鼎（公元1650－1730年）

清代畫家。常熟（今屬江蘇）人。字尊古，號曠亭，又號獨往客，晚號净垢老人。王原祁弟子，擅畫山水。

醉儒圖

清

黄鼎

高115.5、寬57厘米。

絹本，設色。

現藏廣東省博物館。

山水圖

清

黄鼎

高119.5、寬40.5厘米。

紙本，水墨。

現藏故宫博物院。

漁父圖

清

黄鼎

高113.8、寬46.6厘米。

紙本，水墨。

現藏上海博物館。

王　雲（公元1652－?年）

清代畫家。高郵（今屬江蘇）人。字漢藻、雯庵，號清痴、竹里。康熙屢欲加其官職，固辭不受，因稱“痴子”，遂以“清痴”自號。善畫山水、樓臺、人物。

山水圖

清

王雲

高58.9、寬29.3厘米。

絹本，設色。

現藏臺北故宮博物院。

雪溪行舟圖

清

王雲

高153、寬62.5厘米。

紙本，設色。

現藏北京榮寶齋。

休園圖（局部）

清

王雲

全圖高54、寬1294.9厘米。

絹本，設色。

現藏遼寧省旅順博物館。

休園圖局部之一

休園圖局部之二

蕭　晨（公元1656－?年）

清代畫家。揚州（今屬江蘇）人。字靈曦，號中素。工詩，擅畫山水、人物。師法唐、宋。

踏雪尋梅圖

清

蕭晨

高123、寬58.5厘米。

紙本，水墨淡設色。

現藏山東省青島市博物館。

采芝圖

清

蕭晨

高65.3、寬38.8厘米。

綾本，設色。

現藏上海博物館。

楊柳歸牧圖

清

蕭晨

高67、寬44厘米。

絹本，設色。

現藏故宮博物院。

崔　鏏

清代畫家。三韓（今内蒙古喀喇沁旗）人。字象九，一作象州。工人物，善寫真，宗法焦秉貞，受宫廷西法影響，賦染净麗，格調婉約。

李清照像

清

崔鏏

高56.7、寬56.8厘米。

絹本，設色。

現藏故宫博物院。

胡　涓

清代畫家。生平事迹不詳。

鸚鵡戲蝶圖

清

胡涓

高98.2、寬50.3厘米。

絹本，設色。

現藏上海博物館。

陳　書（公元1660－1736年）

清代女畫家。嘉興（今屬浙江）人。字南樓，號上元弟子。擅畫山水、人物，尤擅花鳥草蟲。

歲朝麗景圖

清

陳書

高96.8、寬47厘米。

絹本，設色。

現藏臺北故宮博物院。

高其佩（公元1660－1734年）

清代畫家。鐵嶺（今屬遼寧）人。字韋之，號且園，又號南村，別號頗多，如創匠等。擅畫人物，亦畫山水、花鳥，尤以指頭畫名擅一時。其畫風對後世影響很大。

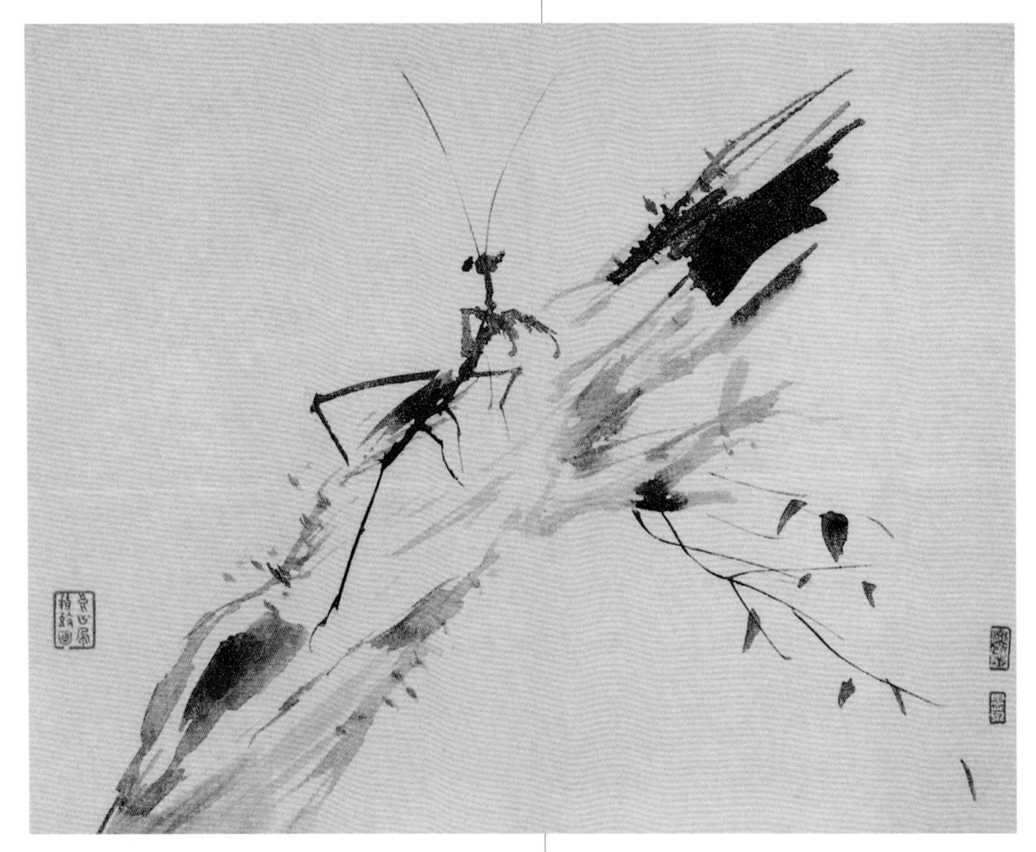

雜畫之一

雜畫之二

雜畫（選四開）

清

高其佩

高26.2、寬32.5厘米。

紙本，水墨。共十開。

現藏上海博物館。

雜畫之三

雜畫之四

山水圖

清

高其佩

高222.7、寬109.1厘米。

絹本，設色。

現藏臺北故宮博物院。

鍾馗圖

清

高其佩

高200、寬94厘米。

紙本，設色。

現藏山西博物院。

梧桐喜鵲圖

清

高其佩

高129、寬42.7厘米。

紙本，設色。

現藏遼寧省博物館。

浙東游履圖

清
高其佩
高90.8、寬53.8厘米。
紙本，水墨淡設色。
現藏故宮博物院。

高山烟雲圖

清
武丹
高232、寬108厘米。
絹本，水墨淡設色。
現藏首都博物館。

武　丹（公元1662－1721年）

清代畫家。江寧（今江蘇南京）人。字衷白。善畫工筆山水。

山水圖

清

武丹

高132、寬54.5厘米。

絹本，設色。

現藏江蘇省常熟博物館。

袁　江（公元？－1746年）

清代畫家。江都（治今江蘇揚州）人。字文濤。善界畫。長于山水樓閣，精湛絢麗。爲清代界畫名家。

醉歸圖

清

袁江

高115.5、寬59.6厘米。

絹本，設色。

現藏遼寧省旅順博物館。

驪山避暑圖

清

袁江

高224、寬134厘米。

絹本，設色。

現藏首都博物館。

水殿春深圖

清

袁江

高104、寬49.5厘米。

絹本，設色。

現藏上海博物館。

海屋添籌圖

清

袁江

高63.1、寬28厘米。

絹本，設色。

現藏中國美術館。

花果圖（局部）

清

袁江

全圖高32.1、寬658厘米。

紙本，設色。

現藏故宫博物院。

花果圖局部之一

花果圖局部之二

上官周（公元1665－約1749年）

清代畫家。長汀（今屬福建）人。字文佐，號竹莊。善畫人物、山水。

艚篷出峽圖

清

上官周

高54.3、寬11.9厘米。

紙本，水墨。

現藏北京榮寶齋。

臺閣春光圖

清

上官周

高242、寬107.2厘米。

紙本，設色。

現藏上海博物館。

盧山觀蓮圖

清

上官周

高37.4、寬25厘米。

紙本，設色。

現藏中國美術館。

顏　嶧

清代畫家。揚州（今屬江蘇）人。字青來。善山水，能界畫。

江樓對弈圖

清

顏嶧

高115、寬62.5厘米。

絹本，設色。

現藏廣東省廣州美術館。

秋林舒嘯圖

清

顏嶧

高140、寬81.8厘米。

絹本，設色。

現藏遼寧省博物館。

秋山行旅圖

清
顏嶧
高203.5、寬103.2厘米。
絹本，設色。
現藏故宮博物院。

馬元馭（公元1669－1722年）

清代畫家。常熟（今屬江蘇）人。字扶羲，號栖霞，又號天虞山人。善寫花鳥，擅長點染，從學者頗多。

桃柳八哥圖

清
馬元馭
高130.7、寬65.9厘米。
絹本，設色。
現藏上海博物館。

仿宋人寫生花卉圖（選二開）

清

馬元馭

高31.5、寬26.7厘米。

絹本，設色。共十開。

現藏首都博物館。

仿宋人寫生花卉圖之一

仿宋人寫生花卉圖之二

南溪春曉圖

清

馬元馭

高57.2、寬28.6厘米。

絹本，設色。

現藏南京博物院。

蔣廷錫（公元1669－1732年）

清代畫家。常熟（今屬江蘇）人。字揚孫，一字南沙，號西谷。康熙四十二年（公元1703年）進士。善畫花卉，多用寫意法，設色妍麗。

幽蘭叢竹圖

清

蔣廷錫

高97、寬51厘米。

絹本，水墨。

現藏南京博物院。

桂花圖

清

蔣廷錫

高172.8、寬74.5厘米。

絹本，設色。

現藏臺北故宫博物院。

芙蓉鷺鷥圖

清

蔣廷錫

高127.7、寬60.5厘米。

紙本，設色。

現藏故宫博物院。

王愫

清代畫家。太倉（今屬江蘇）人。字存素，號樸廬，自稱“林屋山人”。王時敏曾孫，王原祁侄。善畫山水，與王昱、王玖、王宸稱“小四王”。

洞庭秋月圖

清
王愫
高65.4、寬39厘米。
紙本，設色。
現藏上海博物館。

丁觀鵬

清代畫家。京師（今北京）人。雍正時供奉内廷。擅長人物、山水，長于表現構圖繁複、綫條縝密的人物畫。

摹仇英西園雅集圖

清
丁觀鵬
高95.1、寬43.9厘米。
紙本，設色。
現藏臺北故宫博物院。

弘曆洗象圖

清

丁觀鵬

高132.3、寬62.5厘米。

紙本，設色。

現藏故宫博物院。

無量壽佛圖

清

丁觀鵬

高99.3、寬61.9厘米。

瓷青紙，金畫。

現藏故宫博物院。

陳 枚

清代畫家。太倉（今屬江蘇）人。字載東，又字殿掄，號枝窩頭陀。雍正時爲内務郎中。善畫人物、山水、花鳥，参以西洋畫法，自成一格。

寒林覓句圖

清

陳枚

高69.9、寬39.9厘米。

紙本，設色。

現藏故宫博物院。

月漫清游圖（選二開）

清

陳枚

高37、寬31.8厘米。

絹本，設色。共十二開。

現藏故宮博物院。

月漫清游圖之一

月漫清游圖之二

唐岱（公元1673－1752年）

清代畫家。滿州正白旗人。字毓東、静岩，號愛廬、默莊。内務府總管，以畫祇候内廷。聖祖玄燁賜“畫狀元”。工山水，初學焦秉貞，後爲王原祁弟子。

仿范寬畫幅圖

清

唐岱

高287.2、寬155.2厘米。

絹本，設色。

現藏臺北故宫博物院。

夏日山居圖

清

唐岱

高104、寬61厘米。

絹本，設色。

現藏河北省博物館。

山水圖

清
唐岱
高83、寬44厘米。
絹本，水墨。
現藏故宫博物院。

余 省（公元? – 1757年）

清代畫家。常熟（今屬江蘇）人。字曾三，號魯亭。乾隆元年（公元1736年）供事内廷。善花鳥蟲魚，兼工蘭竹、水仙，參用西洋畫法，賦色妍麗。

花鳥圖

清
余省
高168.5、寬88.5厘米。
紙本，設色。
現藏江蘇省常熟博物館。

鷺鷥圖（選一開）

清

余省

高28.4、寬22.4厘米。

紙本，設色。共十二開。

現藏江蘇省常熟博物館。

桐蟬圖（選一開）

清

余省

高28.4、寬22.4厘米。

紙本，水墨。

現藏江蘇省常熟博物館。

雜畫（選二開）

清

余省

高89.9、寬21.7厘米。

紙本，水墨。

現藏上海博物館。

雜畫之一

雜畫之二

余稺

清代畫家。常熟（今屬江蘇）人。字南洲。余省弟，供奉内廷。善畫花鳥。

端陽景圖

清

余稺

高137.3、寬68.8厘米。

絹本，設色。

現藏故宫博物院。

鳩雀争春圖

清

余稺

高161.1、寬68.3厘米。

紙本，設色。

現藏故宫博物院。

惲冰

清代女畫家。武進（今江蘇常州）人。字浩如，號清於、蘭陵女史。善花卉寫生，以没骨法著名，用粉尤爲精絶。

蒲塘秋艷圖

清
惲冰
高127.7、寬56.6厘米。
紙本，設色。
現藏故宫博物院。

春風鸜鴿圖

清
惲冰
高128.1、寬55.1厘米。
紙本，水墨。
現藏上海博物館。

馬荃

清代女畫家。常熟（今屬江蘇）人。字江香。馬元馭女，一作馬元馭孫女。工花草，設色妍雅。時惲冰以没骨著名，而馬荃則以勾染爲勝，江南人稱爲"雙絶"。

花鳥草蟲圖（選二開）

清
馬荃
高24.4、寬19.4厘米。
絹本，設色。共十開。
現藏南京博物院。

花鳥草蟲圖之一

花鳥草蟲圖之二

華嵒（公元1682－1756年）

清代畫家。上杭（今屬福建）人，晚年居杭州（今屬浙江）。字秋岳，號新羅山人、東園生、布衣生、離垢居士等。擅畫人物、山水，尤精花鳥、草蟲、走獸。遠師李公麟、馬和之，近受陳洪綬、惲壽平及石濤等影響。重視寫生，構圖新穎，別樹一格。對清代中期以後的花鳥畫影響頗大。

鸜鵒雙栖圖
清
華嵒
高129、寬50.5厘米。
紙本，設色。
現藏遼寧省博物館。

松鶴圖
清
華嵒
高234、寬118.5厘米。
紙本，設色。
現藏廣東省廣州美術館。

山雀愛梅圖

清

華嵒

高216.5、寬139.5厘米。

絹本，設色。

現藏天津博物館。

金谷園圖

清

華嵒

高178.9、寬94.1厘米。

紙本，水墨淡設色。

現藏上海博物館。

蘇小小梳妝圖

清

華嵒

高103.5、寬36.2厘米。

紙本，設色。

現藏吉林省博物院。

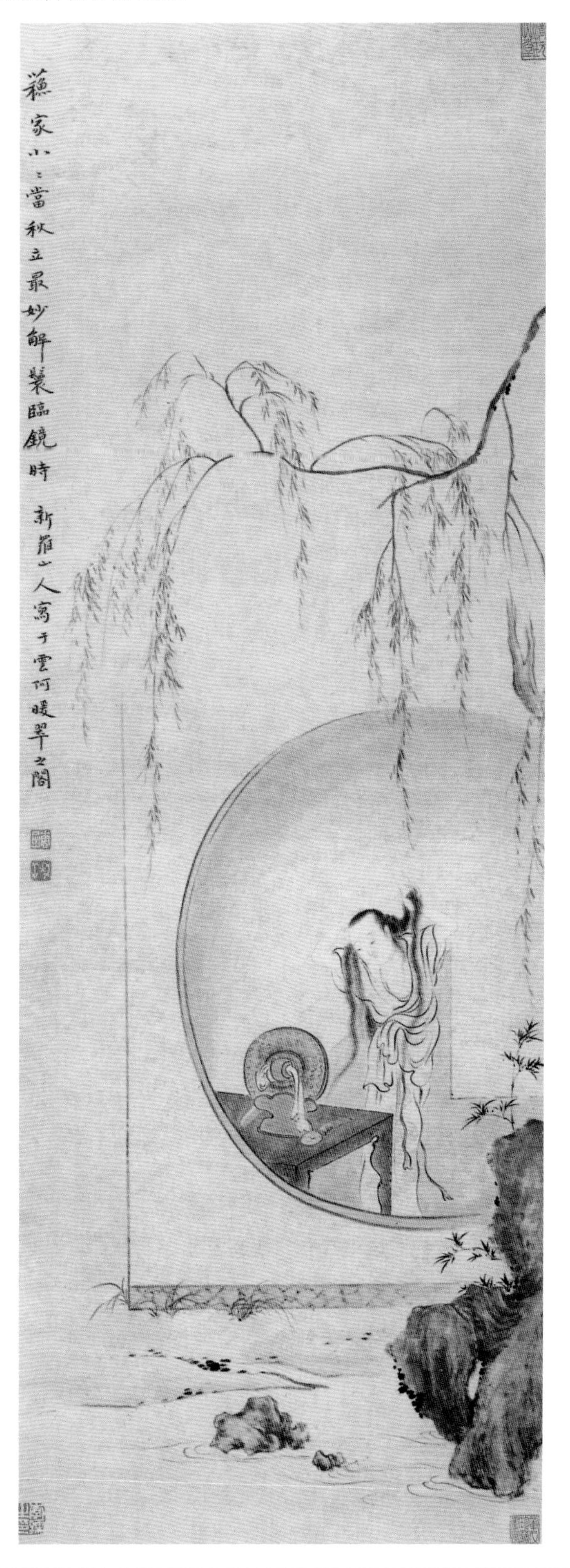

三獅圖

清
華喦
高181、寬59厘米。
紙本，水墨。
現藏山西博物院。

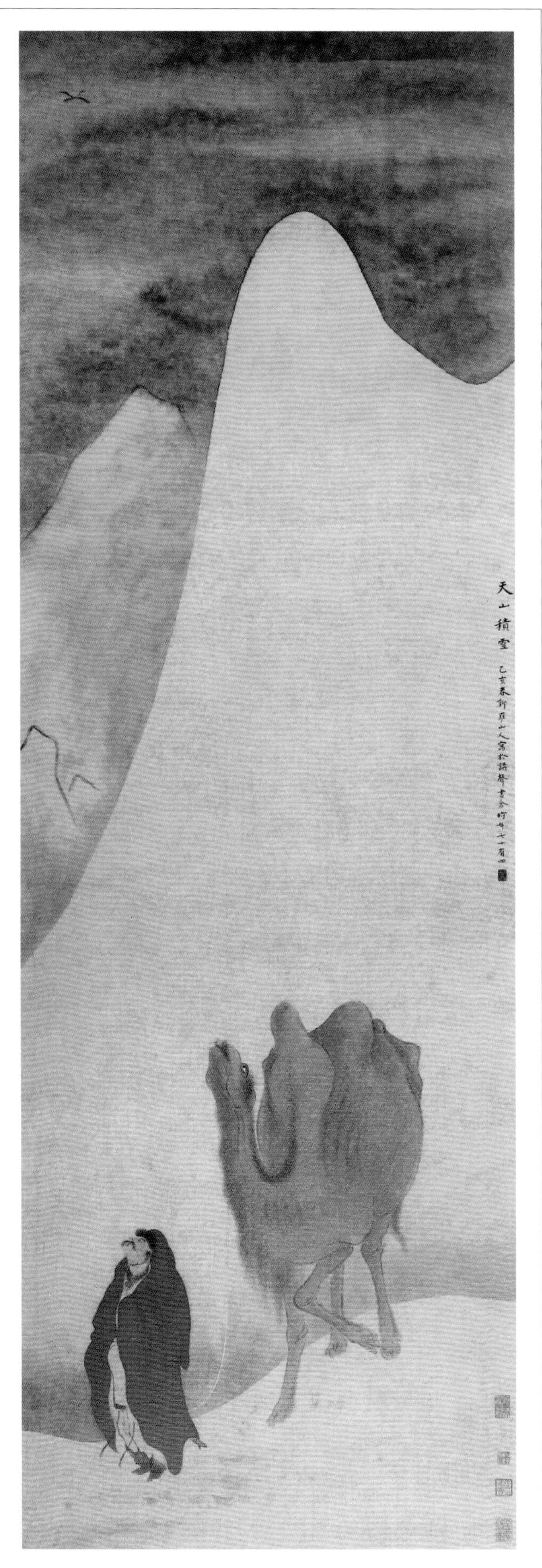

天山積雪圖（右圖）

清
華喦
高159.1、寬52.8厘米。
紙本，設色。
現藏故宮博物院。

海棠禽兔圖

清

華喦

高135.2、寬62.5厘米。

紙本，設色。

現藏故宮博物院。

沈銓（公元1682－約1760年）

清代畫家。德清（今屬浙江）人。字南蘋。善畫花鳥走獸，亦善仕女，工整濃麗。雍正九年（公元1731年）東渡日本，居三年，名重海外。

萬壑松風圖

清

華嵒

高200、寬114厘米。

紙本，設色。

現藏瀋陽故宮博物院。

柏鹿圖

清

沈銓

高98.2、寬47.2厘米。

絹本，設色。

現藏江蘇省蘇州博物館。

蜂猴圖

清

沈銓

高184、寬96.6厘米。

絹本，設色。

現藏故宮博物院。

松鶴圖

清

沈銓

高167.8、寬81.1厘米。

絹本，設色。

現藏四川博物院。

高鳳翰（公元1683 – 1748年）

清代畫家。膠州（今屬山東）人，久寓揚州（今屬江蘇）一帶。字西園，號南村，晚號南阜山人，又稱老阜、歸雲老人、石頑老子等。晚年病廢右臂，從此用左手作畫寫字刻印，自號“後尚左生”。善畫山水、花卉，不拘于法。亦工詩。

雜畫（選二開）

清
高鳳翰
高21.2、寬54.8厘米。
絹本，設色。共八開。
現藏遼寧省博物館。

雜畫之一

雜畫之二

山水圖（選二開）

清

高鳳翰

高27.5、寬68.5厘米。

紙本，設色。共六開。

現藏山東省博物館。

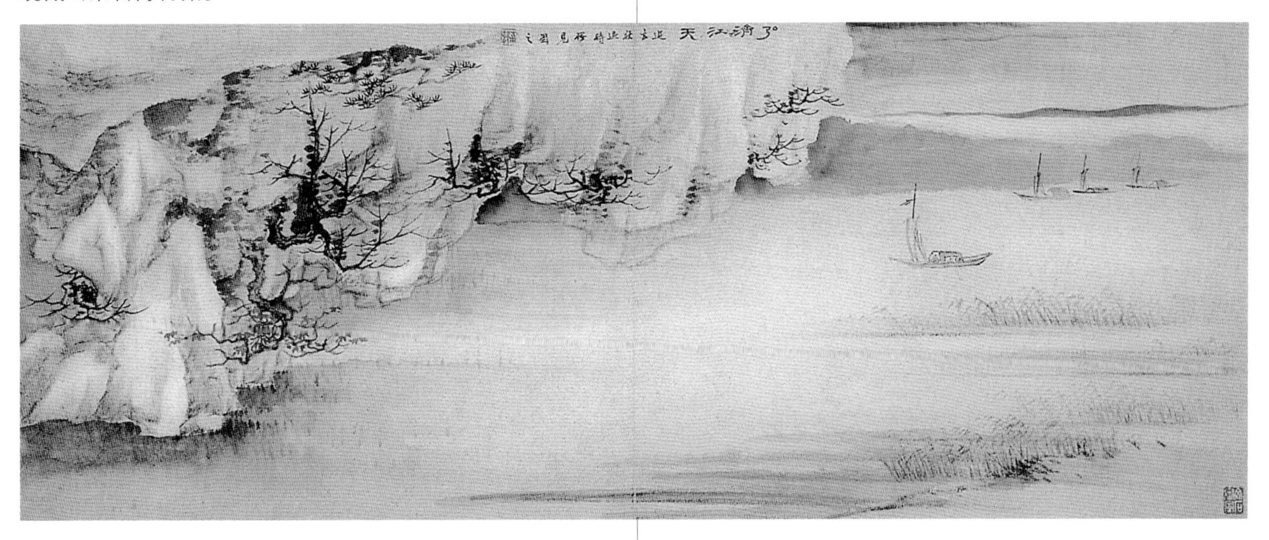

山水圖之一

山水圖之二

山水圖（選二開）

清
高鳳翰
高28、寬34厘米。
紙本，設色。
共八開。
現藏瀋陽故宮博物院。

山水圖之一

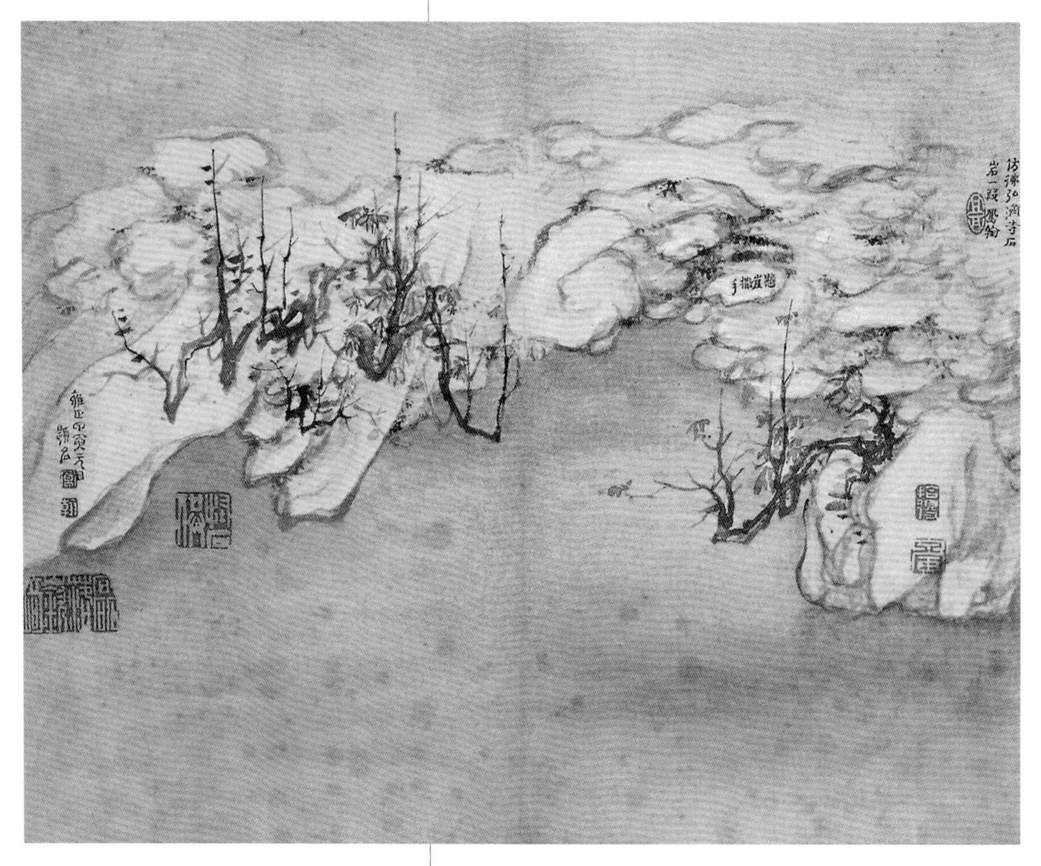

山水圖之二

花卉圖（選二開）

清

高鳳翰

高28、寬44.4厘米。

紙本，水墨。

現藏重慶市博物館。

花卉圖之一

花卉圖之二

自畫像

清

高鳳翰

高106.8、寬53.4厘米。

絹本，設色。

現藏故宫博物院。

野趣圖

清

高鳳翰

高123、寬45厘米。

紙本，水墨。

現藏山東省博物館。

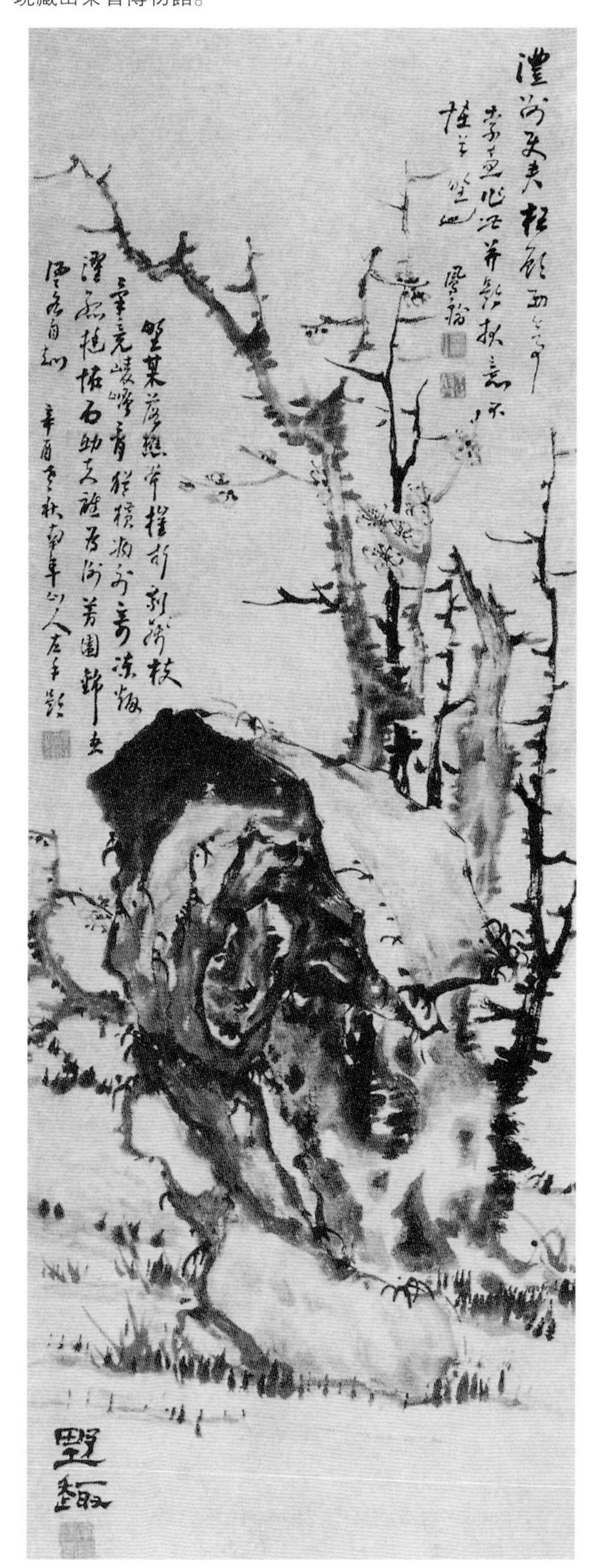

雪景竹石圖

清

高鳳翰

高139.1、寬61.6厘米。

紙本，設色。

現藏故宮博物院。

邊壽民（公元1684－1752年）

清代畫家。山陽（今江蘇淮安）人。初名維祺，字壽民，以字行，更字頤公，號漸僧、墨仙、葦間居士。善畫花鳥。爲“揚州派”畫家之一。

蘆雁圖（選二開）

清

邊壽民

高24.5、寬56厘米。

紙本，水墨淡設色。共十開。

現藏遼寧省旅順博物館。

蘆雁圖之一

蘆雁圖之二

雜畫（選二開）

清

邊壽民

高28.5、寬36.5厘米。

紙本，設色。共十二開。

現藏吉林省博物院。

雜畫之一

雜畫之二

蘆雁圖

清

邊壽民

高128.6、寬48.8厘米。

紙本，設色。

現藏故宮博物院。

松藤圖

清

李鱓

高124、寬62.6厘米。

紙本，設色。

現藏故宮博物院。

李鱓（公元1684－1762，一作1686－1762年）

清代畫家。興化（今屬江蘇）人。字宗揚，號復堂，又號懊道人。康熙五十年（公元1711年）舉人。因善畫，曾供奉内廷。早期學蔣廷錫，畫風工細。後學高其佩，又受石濤等影響，創水墨寫意的獨特風格。爲“揚州八怪”之一。

城南春色圖

清

李鱓

高193、寬105.6厘米。

紙本，設色。

現藏上海博物館。

松石牡丹圖

清

李鱓

高242.2、寬120.3厘米。

紙本，設色。

現藏上海博物館。

蕉竹圖

清

李鱓

高126、寬62厘米。

紙本，水墨。

現藏廣東省廣州美術館。

花卉圖（選二開）

清
李鱓
高25.8、寬33.5厘米。
紙本，設色。
共八開。
現藏故宮博物院。

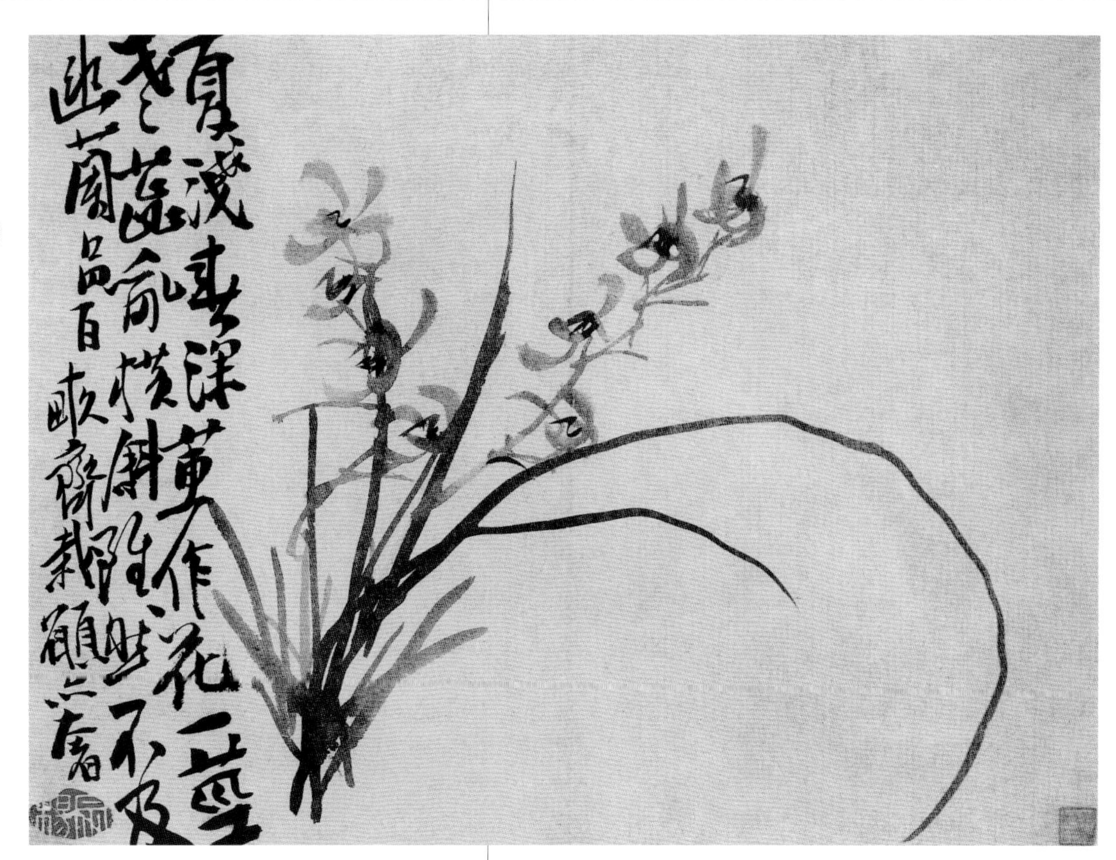

花卉圖之一

花卉圖之二

芭蕉睡鵝圖

清

李鱓

高121、寬60.5厘米。

紙本，設色。

現藏山東省青島市博物館。

張宗蒼（公元1686－1756年）

清代畫家。蘇州（今屬江蘇）人。字默存，一字墨岑，號篁村。乾隆十六年（公元1751年）以畫薦入宫廷，授户部主事。工書善畫，長于山水，多以乾筆積皴，自成一格。

山水圖

清

張宗蒼

高144.6、寬75.3厘米。

紙本，設色。

現藏故宫博物院。

萬木奇峰圖

清

張宗蒼

高155.5、寬54.3厘米。

紙本，水墨。

現藏上海博物館。

汪士慎（公元1686－約1762年）

清代畫家。休寧（今屬安徽）人，一作歙縣（今屬安徽）人，寓居揚州（今屬江蘇）。字近人，號巢林、溪東外史、左盲生、天都寄客等。擅畫花卉，精畫蘭竹，尤擅長畫梅。爲“揚州八怪”之一。

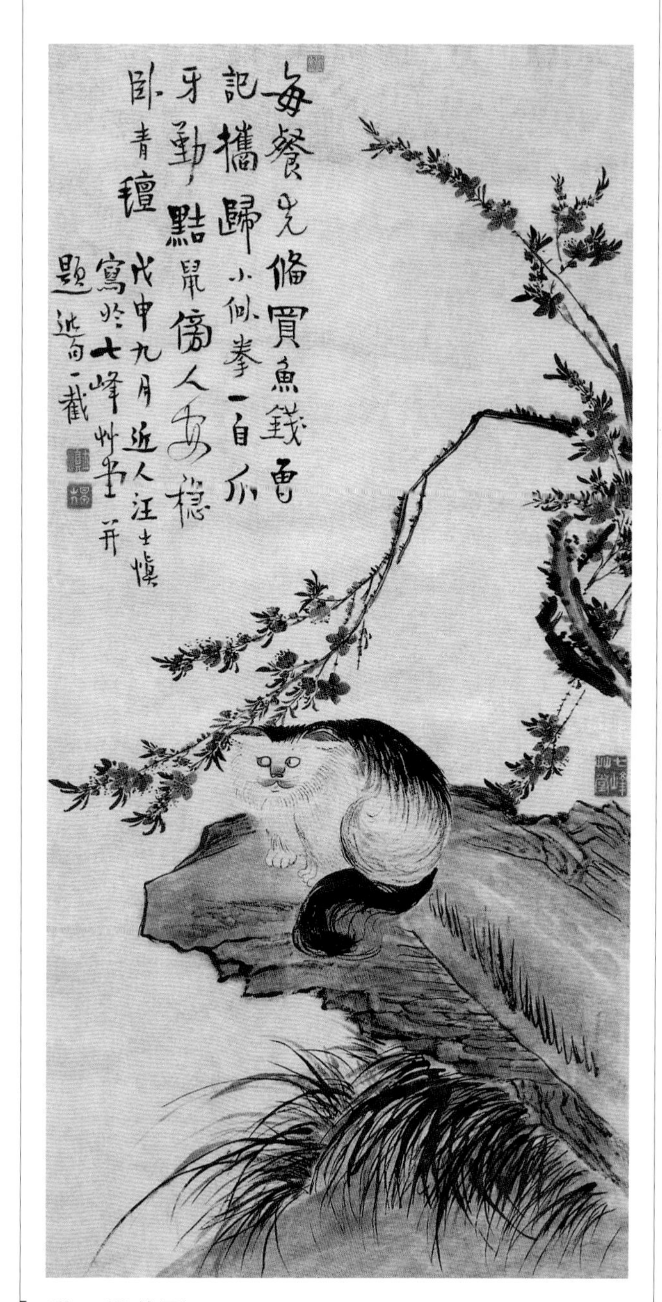

猫石桃花圖

清

汪士慎

高125.7、寬60.8厘米。

紙本，水墨。

現藏上海博物館。

墨松圖

清

汪士慎

高144.5、寬57厘米。

紙本，水墨。

現藏廣東省廣州美術館。

鏡影水月圖

清

汪士慎

高119.5、寬53.5厘米。

紙本，水墨。

現藏廣東省博物館。

梅花圖

清

汪士慎

高93.2、寬53.4厘米。

紙本，設色。

現藏故宮博物院。

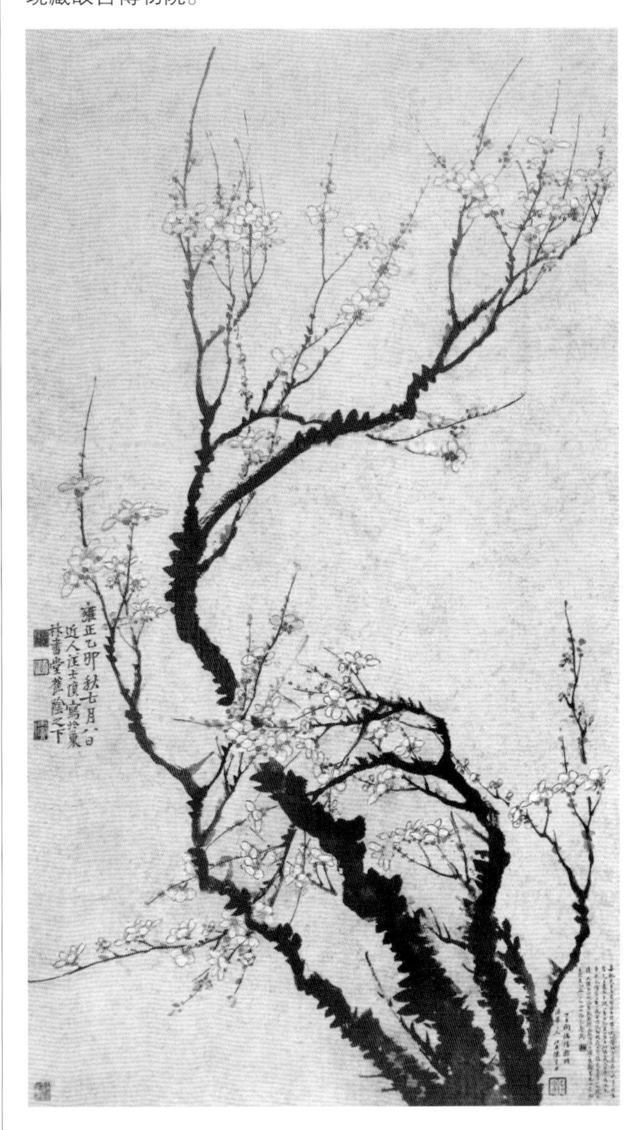

白梅圖（右圖）

清

汪士慎

高174.5、寬61.5厘米。

紙本，設色。

現藏首都博物館。

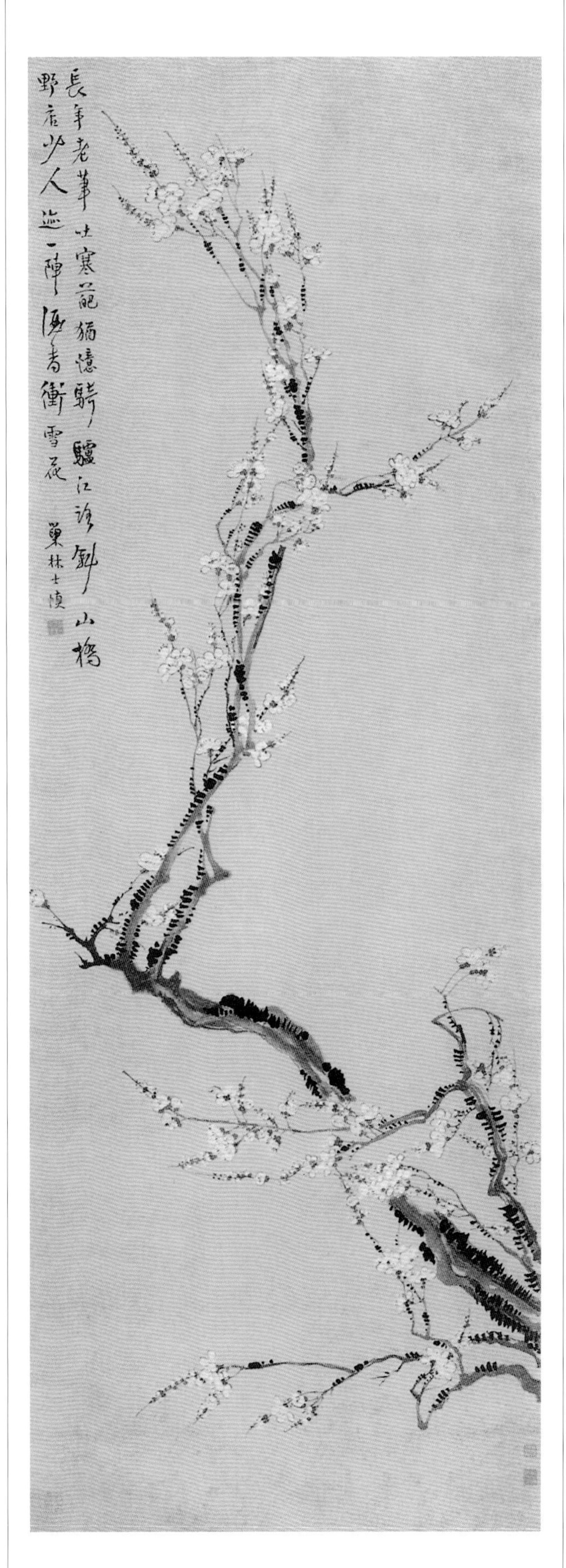

花卉圖（選二開）

清

汪士慎

高24、寬27.5厘米。

紙本，設色。共十二開。

現藏故宮博物院。

花卉圖之一

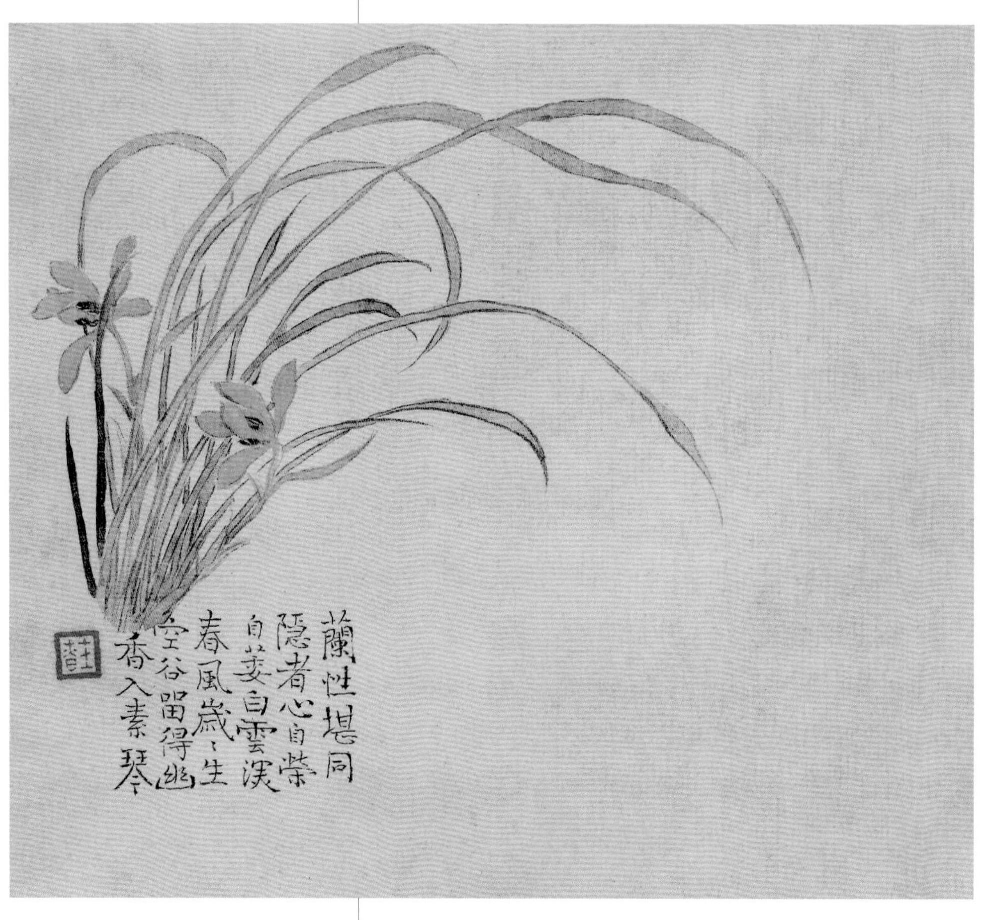

花卉圖之二

花卉圖（選二開）

清

汪士慎

高29、寬36.7厘米。

紙本，設色。

共八開。

現藏遼寧省博物館。

花卉圖之一

花卉圖之二

金　農（公元1687－1763年）

清代畫家。原籍仁和（今浙江杭州），久居揚州（今屬江蘇）。字壽門，號冬心，别號金牛、老丁、古泉、竹泉、稽留山民、昔耶居士、壽道士等。五十歲後始作畫，尤擅畫梅。風格拙厚淳樸，善用淡墨乾筆作花卉小品。書法創“漆書”。爲“揚州八怪”之一。

墨梅圖（選二開）

清

金農

高23.3、寬33.5厘米。

紙本，水墨。共十二開。

現藏故宫博物院。

墨梅圖之一

墨梅圖之二

自畫像

清

金農

高131.3、寬59.1厘米。

紙本，水墨。

現藏故宮博物院。

佛像圖

清

金農

高118、寬47.2厘米。

絹本，設色。

現藏山東省烟臺市博物館。

山水人物圖（選二開）

清

金農

高26.1、寬34.9厘米。

紙本，設色。

共十二開。

現藏上海博物館。

山水人物圖之一

山水人物圖之二

花卉圖（選二開）

清

金農

高24.5、寬32厘米。

紙本，設色。

共八開。

現藏遼寧省博物館。

花卉圖之一

花卉圖之二

花果圖（選二開）

清

金農

高21、寬36.5厘米。

絹本，水墨。共十開。

現藏上海博物館。

花果圖之一

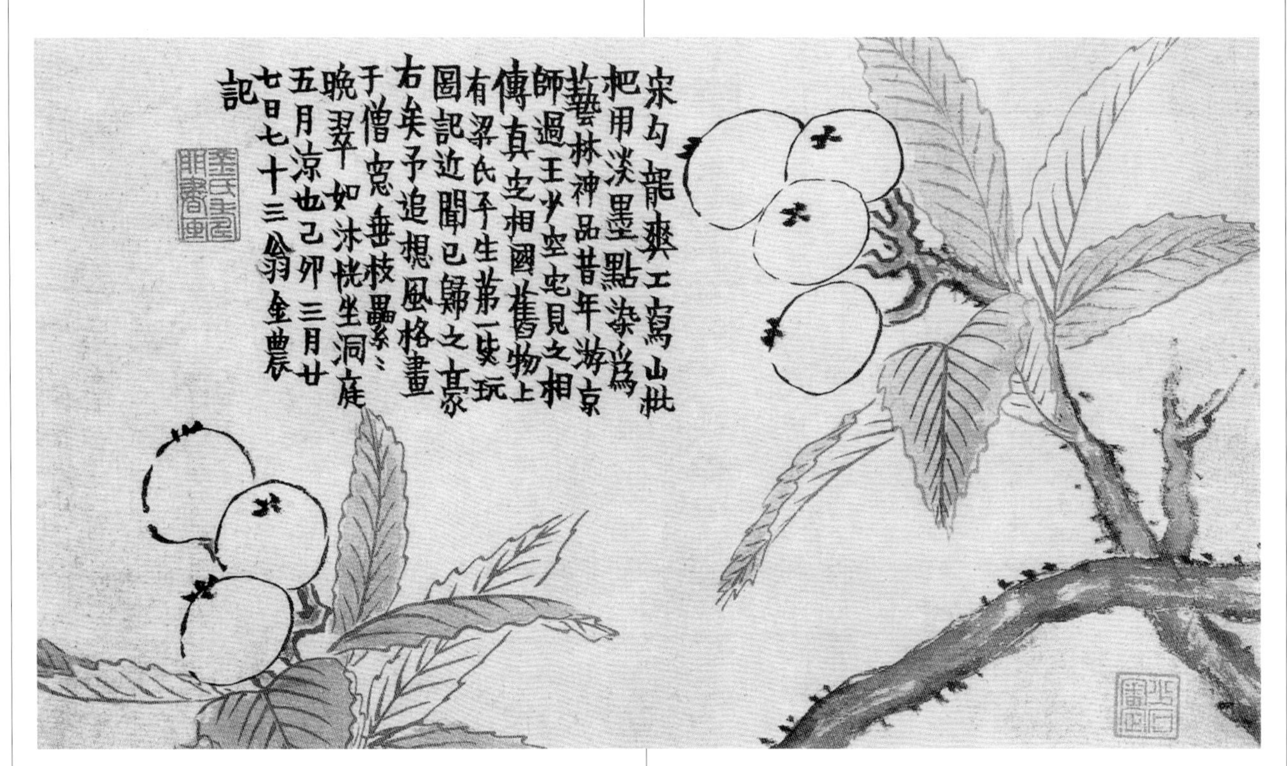

花果圖之二

玉壺春色圖

清

金農

高131、寬42.5厘米。

絹本，設色。

現藏南京博物院。

黄　慎（公元1687－約1770年）

清代畫家。寧化（今屬福建）人，長期寓居揚州（今屬江蘇）。字恭懋，後又改字恭壽、菊莊，號癭瓢，又稱東海布衣。賣畫爲生。擅畫人物、花鳥、蔬果。初師上官周，用筆工細。後用狂草筆法作畫，縱横揮毫，富于變化。爲“揚州八怪”之一。

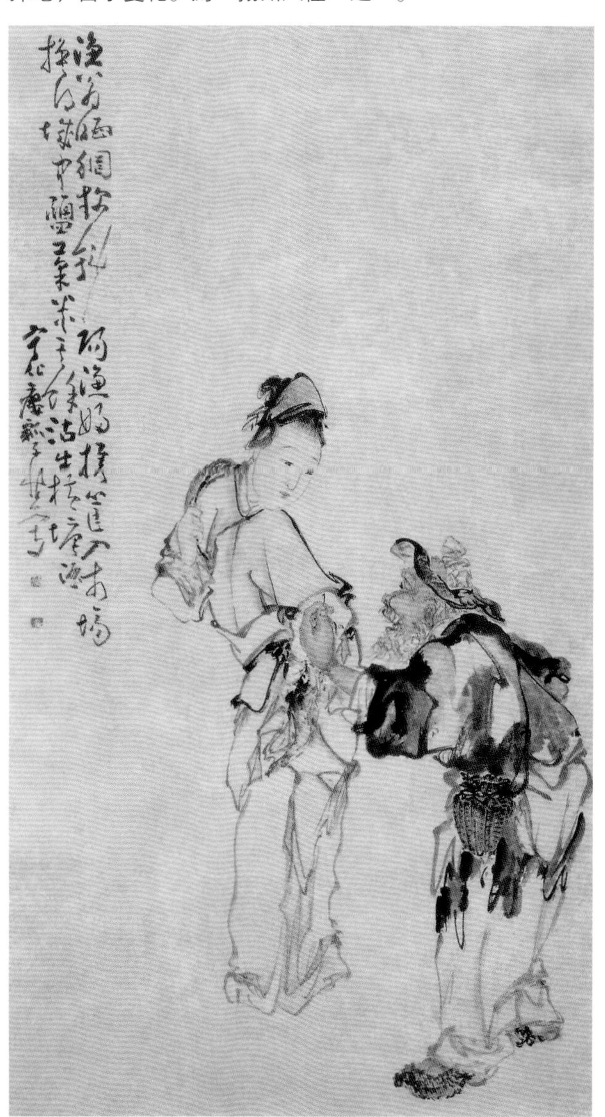

漁翁漁婦圖

清

黄慎

高118.4、寬65.2厘米。

紙本，水墨淡設色。

現藏江蘇省南京市博物館。

探珠圖

清

黄慎

高185、寬107厘米。

紙本，設色。

現藏南京博物院。

風雨歸舟圖

清

黄慎

高180、寬92厘米。

紙本，水墨。

現藏山西博物院。

携琴訪友圖

清

黄慎

高168、寬88.5厘米。

紙本，設色。

現藏上海博物館。

花卉草蟲圖（選二開）

清
黃慎
高23.5、
寬29.2厘米。
紙本，水墨。
共十開。
現藏上海博物館。

花卉草蟲圖之一

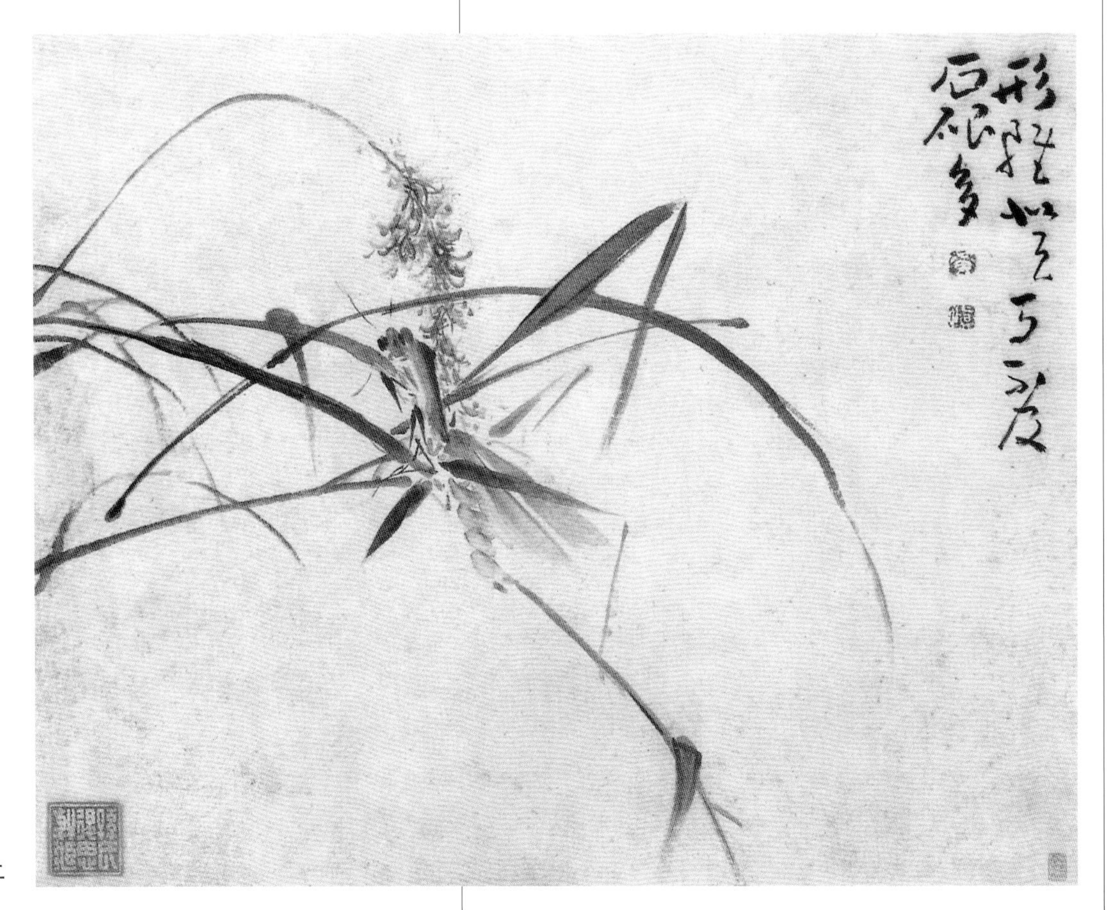

花卉草蟲圖之二

蔬果圖
（選二開）

清
黄慎
高24、寬27.4厘米。
紙本，設色。共十二開。
現藏故宫博物院。

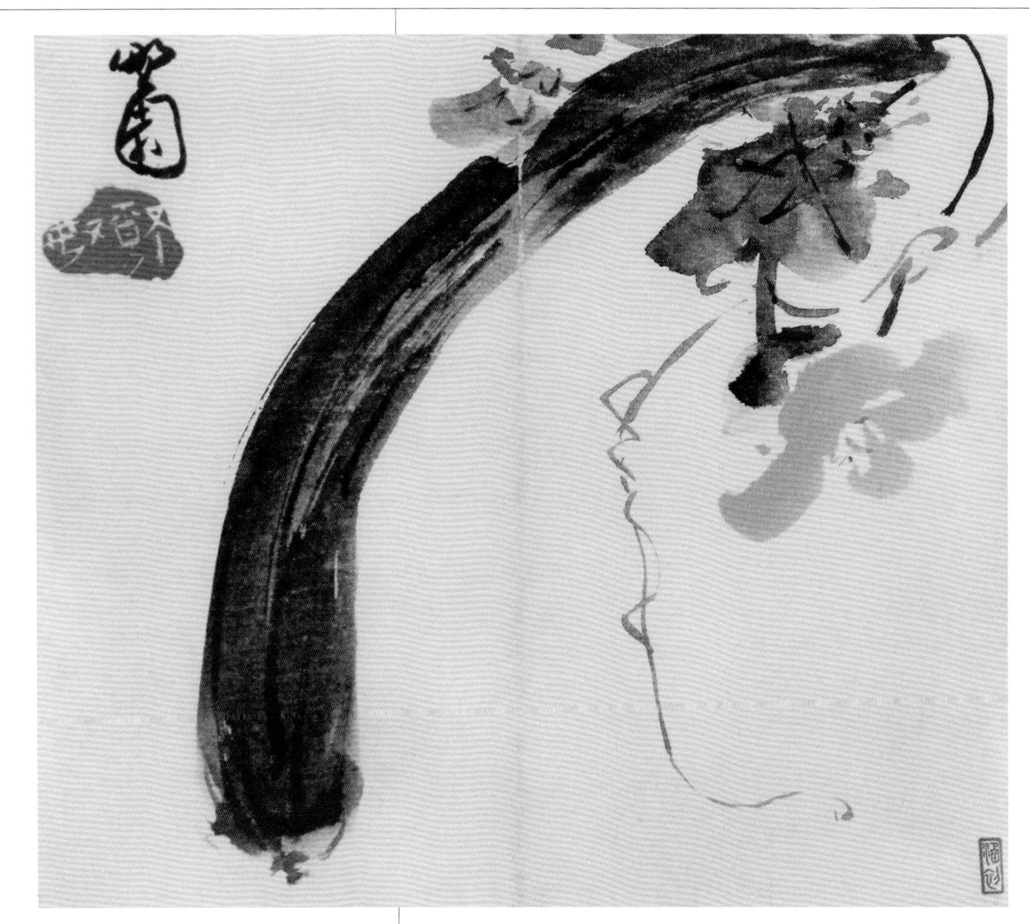

蔬果圖之一

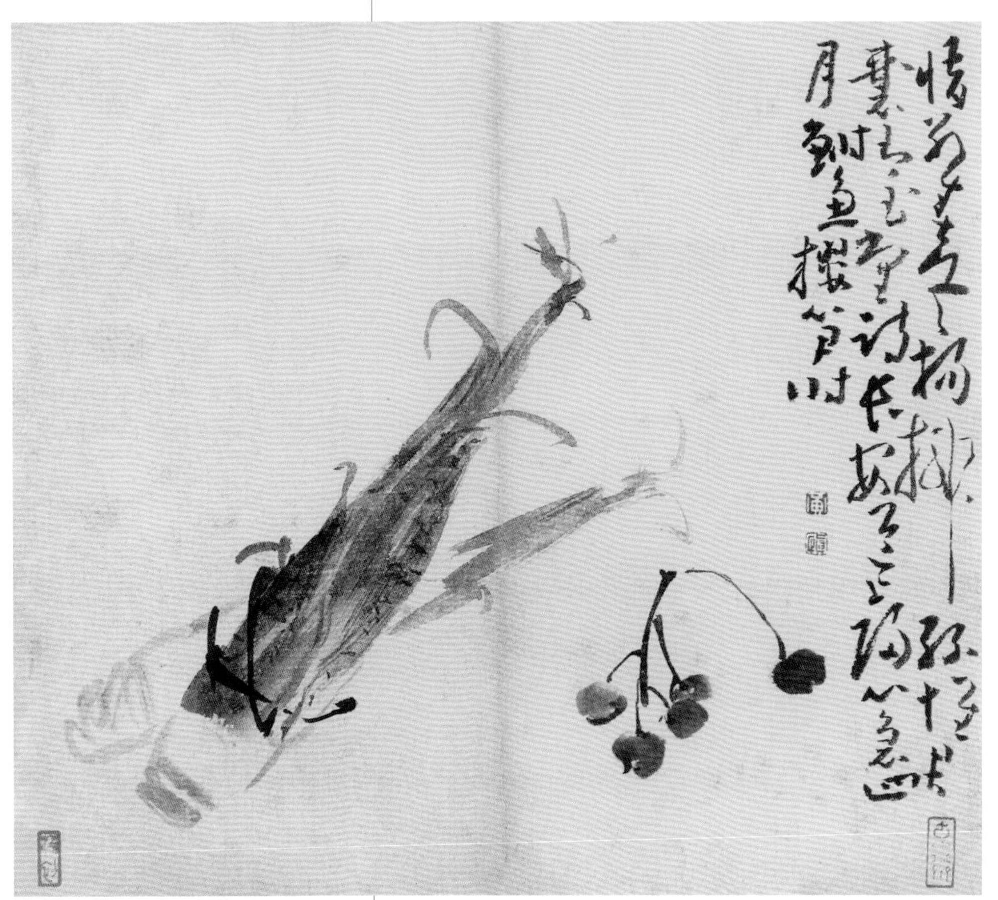

蔬果圖之二

柳塘雙鷺圖

清

黄慎

高139、寬62.5厘米。

紙本，水墨。

現藏遼寧省博物館。

郎世寧（公元1688－1766年）

清代畫家。意大利人。康熙五十四年（公元1715年）歸化中國。他一面傳播天主教，一面以畫供奉清廷，并參與增修圓明園建築事。善寫生，工畫人物、禽獸、花鳥，以西洋畫法爲主，参以中國畫技法，別具一格。與王致誠、艾啓蒙和安德義合稱“四洋畫家”。

白鶻圖

清

郎世寧

高123.8、寬65.3厘米。

絹本，設色。

現藏臺北故宫博物院。

八駿圖

清
郎世寧
高139.3、寬80.2厘米。
絹本，設色。
現藏臺北故宮博物院。

花鳥圖（選四開）

清

郎世寧

高32.6、寬28.6厘米。

絹本，設色。共十開。

現藏故宮博物院。

花鳥圖之一

花鳥圖之二

花鳥圖之三

花鳥圖之四

竹蔭西猹圖

清
郎世寧

高246、寬133厘米。
絹本，設色。
現藏瀋陽故宫博物院。

平安春信圖

清

郎世寧

高68.8、寬40.8厘米。

紙本，設色。

現藏故宮博物院。

高　翔（公元1688－1753年）

清代畫家。甘泉（今江蘇揚州）人。字鳳崗，號西堂、犀堂，一作西唐。善畫山水花卉，尤善畫梅。工篆刻。爲“揚州八怪”之一。

山水圖（選二開）

清

高翔

高24、寬55.5厘米。

紙本，水墨。共十二開。

現藏上海博物館。

山水圖之一

山水圖之二

揚州即景圖（選二開）

清
高翔
高23.8、寬25.5厘米。
紙本，設色。共八開。
現藏故宮博物院。

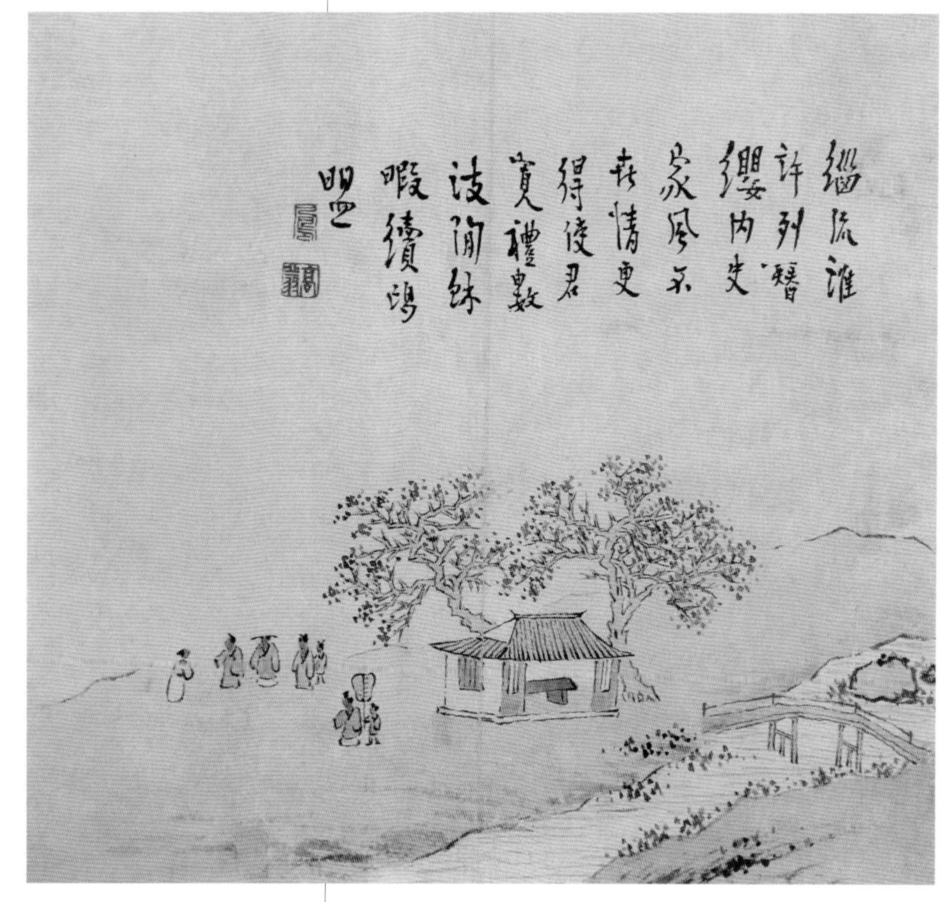

揚州即景圖之一

揚州即景圖之二

彈指閣圖

清
高翔
高68.5、寬38厘米。
紙本，水墨。
現藏江蘇省揚州博物館。

康　濤

清代畫家。錢塘（今浙江杭州）人。初名濤，後更名燾，字逸齋，一字康山，號石舟，晚號天篤山人、荆心老人。善畫仕女人物。

華清出浴圖

清

康濤

高120.2、寬66.1厘米。

絹本，設色。

現藏天津博物館。

鄒一桂（公元1688－1772年）

清代畫家。無錫（今屬江蘇）人。字小山，號元褒，晚號二知。善畫人物、花卉、翎毛，偶畫山水，師法宋人。擅長水墨花卉。

桃花圖

清

鄒一桂

高126.2、寬58.9厘米。

紙本，設色。

現藏故宮博物院。

十香圖

清

鄒一桂

高29.2、寬129.2厘米。

絹本，設色。

現藏臺北故宫博物院。

方　琮

清代畫家。浙江人。字黄山、友璜，號石顛。從學張宗蒼，工山水。

溪橋深翠圖

清
方琮
高31.5、寬135厘米。
紙本，設色。
現藏廣東省博物館。

蔡　嘉

清代畫家。丹陽（今屬江蘇）人，流寓揚州（今屬江蘇）。字松原、岑州，號雪堂、旅亭等。善畫青緑山水，兼擅花鳥蟲魚。

秋夜讀書圖

清

蔡嘉

高63.7、寬37厘米。

紙本，設色。

現藏故宫博物院。

古木飛泉圖

清

蔡嘉

高92.7、寬40厘米。

紙本，水墨。

現藏首都博物館。

層岩樓石圖

清

蔡嘉

高104.1、寬53厘米。

絹本，設色。

現藏重慶市博物館。

神龜圖（右圖）

清

蔡嘉

高109、寬38.5厘米。

紙本，水墨淡設色。

現藏遼寧省旅順博物館。

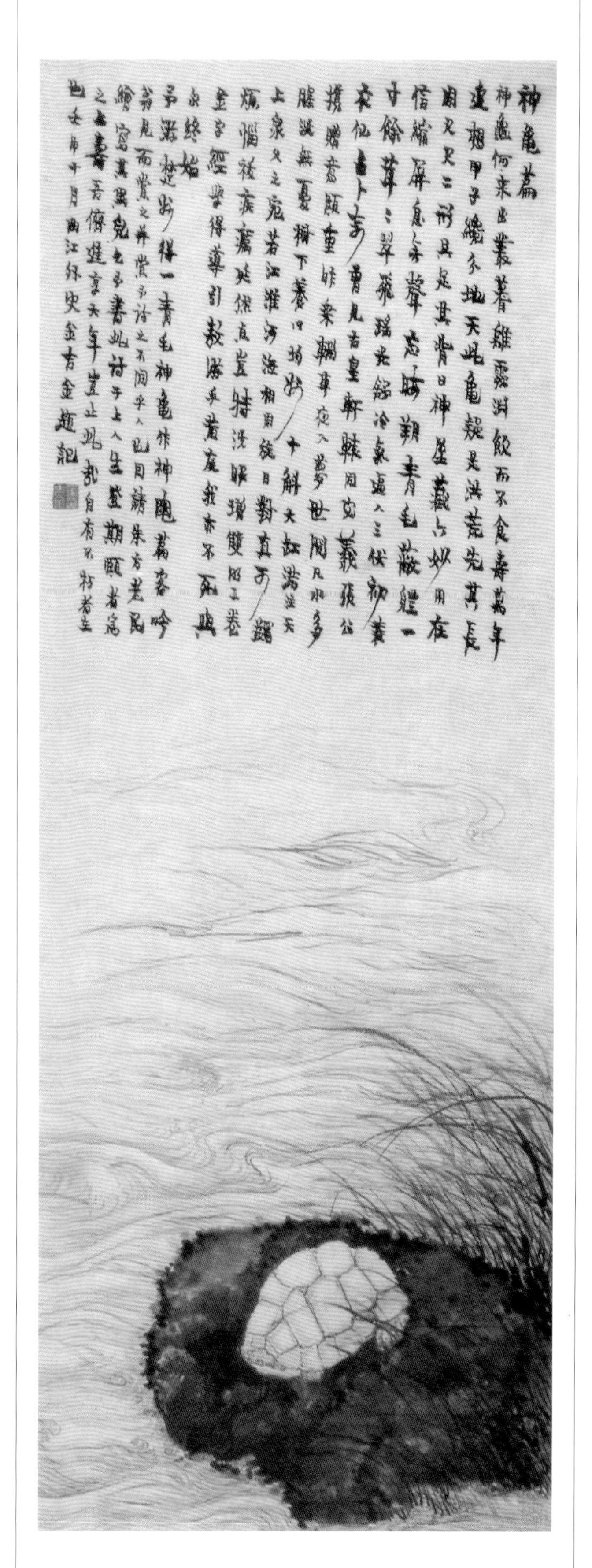

李　葂（公元1691－?年）

清代畫家。懷寧（治今安徽安慶）人。字讓泉，一字嘯村。工詩及書法，善畫山水，兼精花鳥。

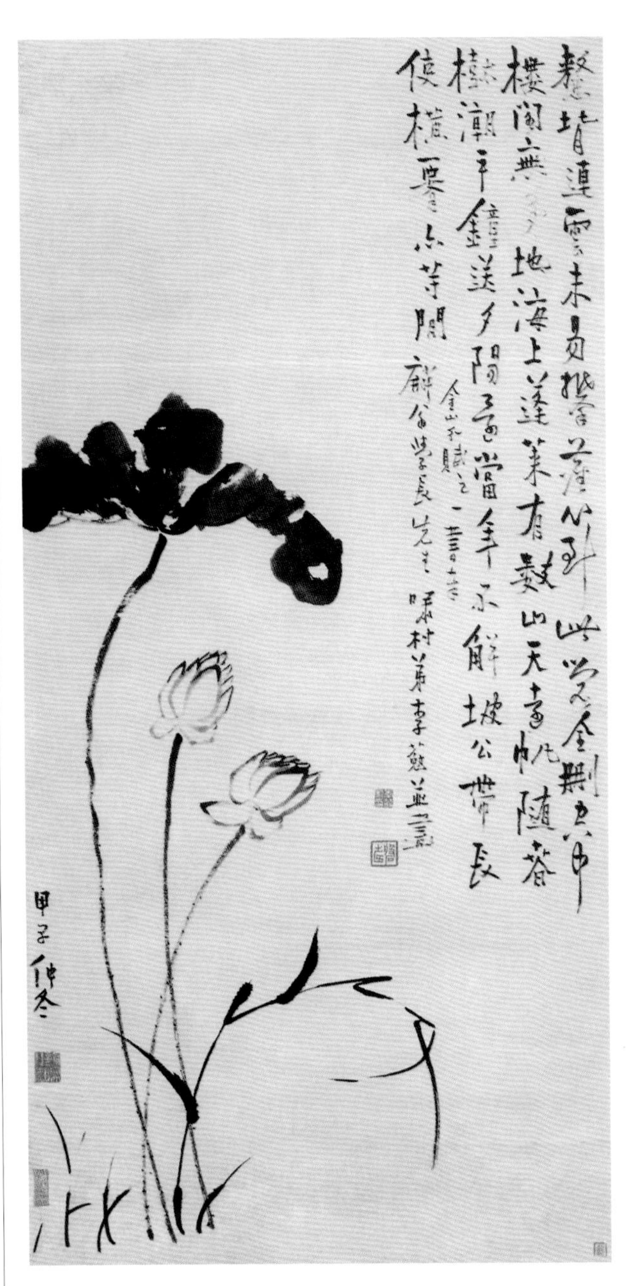

荷花圖

清

李葂

高135.8、寬65.9厘米。

紙本，水墨。

現藏江蘇省蘇州博物館。

方士庶（公元1692－1751年）

清代畫家。歙縣（今屬安徽）人，後居揚州（今屬江蘇）。字循遠，號環山，別號小獅道人。善畫山水。

北山古屋圖

清

方士庶

高180、寬93厘米。

紙本，水墨。

現藏江蘇省美術館。

仿古山水圖（選二開）

清

方士庶

高38.6、寬26.7厘米。

紙本，設色。共十二開。

現藏上海博物館。

仿古山水圖之一

仿古山水圖之二

鄭 燮（公元1693－1765年）

清代畫家。興化（今屬江蘇）人。字克柔，號板橋。康熙秀才、雍正舉人、乾隆進士。曾任山東范縣、潍縣縣令，後長期在揚州以賣畫爲生。擅畫蘭、竹、石，以草書入畫，用筆疏朗，筆力勁峭。亦精書法，自謂爲“六分半書”。爲“揚州八怪”之一。

竹石圖

清

鄭燮

高170、寬90厘米。

紙本，水墨。

現藏天津博物館。

懸崖蘭竹圖

清

鄭燮

高127.8、寬57.7厘米。

紙本，水墨。

現藏故宫博物院。

蘭竹石圖

清
鄭燮
高178、寬102厘米。
紙本，水墨。
現藏江蘇省揚州博物館。

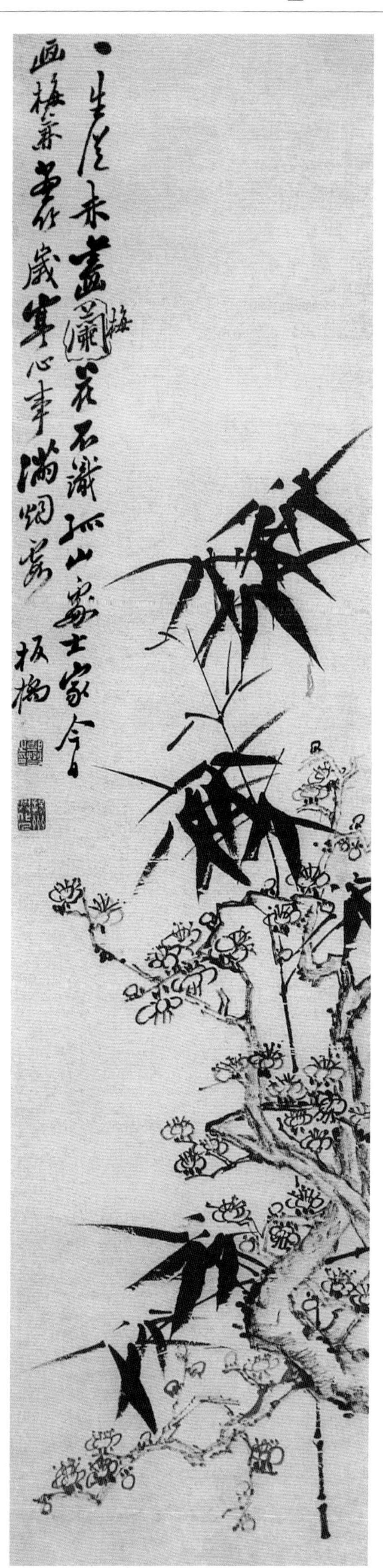

梅竹圖（右圖）

清
鄭燮
高127.8、寬31.3厘米。
紙本，水墨。
現藏故宮博物院。

竹石圖

清

鄭燮

高217.4、寬120.6厘米。

紙本，水墨。

現藏上海博物館。

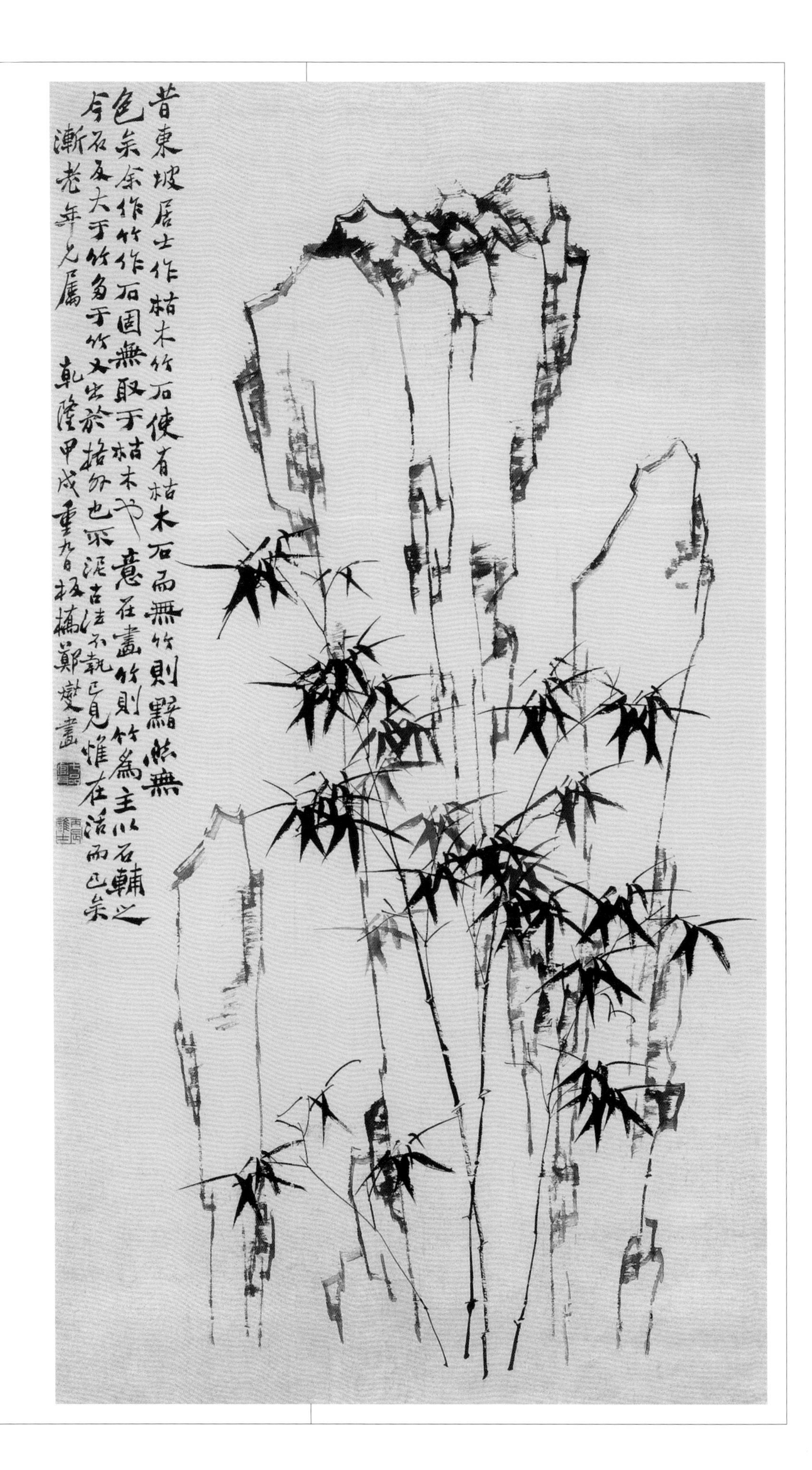

雙松圖

清
鄭燮
高201、寬101厘米。
紙本，水墨。
現藏山東省博物館。

甘谷菊泉图（右图）

清
鄭燮
高189、寬49.5厘米。
紙本，水墨。
現藏南京博物院。

叢竹圖

清

鄭燮

高91、寬170厘米。

紙本，水墨。

現藏瀋陽故宫博物院。

李方膺（公元1695－1755年）

清代畫家。通州（治今江蘇南通）人。字虬仲，號晴江，又號秋池、抑園，曾借居南京借園，又自號借園主人。雍正間做過山東樂安吏和蘭山縣知縣。善畫松、竹、蘭、菊及魚、蟲，畫梅尤精。用筆縱横豪放，不爲成規所束，自得天趣。爲“揚州八怪”之一。

梅花圖

清

李方膺

高46.2、寬167.8厘米。

紙本，水墨。

現藏江蘇省南通博物苑。

鮎魚圖
清
李方膺
高28、寬36.5厘米。
紙本，水墨。
現藏江蘇省揚州博物館。

游魚圖

清

李方膺

高123.5、寬60厘米。

紙本，水墨。

現藏故宮博物院。

盆蘭圖（右圖）

清

李方膺

高116.8、寬38.6厘米。

紙本，水墨。

現藏江蘇省揚州博物館。

蘭花圖（選二開）

清

李方膺

高25.2、寬38.4厘米。

紙本，水墨。

現藏北京藝術博物館。

蘭花圖之一

蘭花圖之二

瀟湘風竹圖

清

李方膺

高168.3、寬67.7厘米。

紙本，水墨。

現藏南京博物院。

竹石圖

清

李方膺

高140、寬66.3厘米。

紙本，水墨。

現藏遼寧省博物館。

松石圖

清

李方膺

高148.8、寬80.4厘米。

紙本，水墨。

現藏江蘇省蘇州博物館。

李世倬（公元？－1770年）

清代畫家。三韓（今内蒙古喀喇沁旗）人，一作奉天（今遼寧瀋陽）人。字漢章、天章、天濤，號谷齋、星厓、太平拙吏等。工詩善畫，擅長人物、山水、花鳥、果品。爲清代“畫中十哲”之一。

亭林山色圖

清

李世倬

高75.8、寬34.5厘米。

紙本，水墨。

現藏上海博物館。

連理杉圖

清

李世倬

高138.8、寬51厘米。

紙本，水墨。

現藏臺北故宫博物院。

溪山雪霽圖

清

李世倬

高170、寬68厘米。

紙本，設色。

現藏首都博物館。

杭世駿（公元1696－1773年）

清代畫家。仁和（今浙江杭州）人。字大宗，號堇浦。乾隆元年（公元1736年）舉鴻博，授編修，官御史。工書，善畫梅竹、山水小品，間作水墨花卉。

雜畫（選二開）

清

杭世駿

高23.9、寬18.2厘米。

絹本，設色。共十二開。

現藏上海博物館。

雜畫之一

雜畫之二

董邦達（公元1699－1769年）

清代畫家。富陽（今屬浙江）人。字孚存，號東山。雍正十一年（公元1733年）進士。工詩善畫，得古法。畫山水取法元人。曾參加編纂《石渠寶笈》和《秘殿珠林》等書。爲清代“畫中十哲”之一。

翠岩紅樹圖

清

董邦達

高103.3、寬46厘米。

紙本，設色。

現藏臺北故宫博物院。

烟磴寒林圖

清

董邦達

高118.7、寬54.7厘米。

紙本，水墨。

現藏故宫博物院。

王致誠（公元1702－1768年）

清代畫家。法國人。天主教耶穌會傳教士。乾隆三年（公元1738年）來中國，供奉內廷。自幼在里昂學畫，後學中國畫法，融匯中西。

十駿馬圖（選二開）

清
王致誠
高24.2、寬29.1厘米。
紙本，設色。共十開。
現藏故宮博物院。

十駿馬圖之一

十駿馬圖之二

艾啓蒙（公元1708－1780年）

清代畫家。波希米亞人。字醒庵。天主教耶穌會傳教士。乾隆十年（公元1745年）來中國，供奉内廷。工人物、走獸、翎毛，西法中用，對當時宮廷繪畫有一定影響。

寶吉騮圖

清

艾啓蒙

高228.5、寬275厘米。

絹本，設色。

現藏故宮博物院。

風猩圖

清

艾啓蒙

高121、寬90厘米。

紙本，設色。

現藏臺北故宮博物院。

王　昱（公元1714－1748年）

清代畫家。太倉（今屬江蘇）人。字日初，號東莊、雲槎山人。王原祁族弟，從其學畫。所作山水，以仿黄公望爲多。

南山積翠圖

清

王昱

高119、寬55.9厘米。

紙本，設色。

現藏故宫博物院。

仿李成暮霞殘雪圖

清

王昱

高94.5、寬45厘米。

紙本，設色。

現藏首都博物館。

重林複嶂圖

清

王昱

高91.4、寬51.8厘米。

紙本，設色。

現藏上海博物館。

張　洽（公元1718－1799年）

清代畫家。蘇州（今屬江蘇）人。字月川，一作玉川，號青篛。善山水，好用枯筆焦墨。

雅宜山齋圖

清

張洽

高124.5、寬45.5厘米。

紙本，水墨。

現藏廣東省博物館。

錢維城（公元1720－約1772年）

清代畫家。武進（今江蘇常州）人。字宗磐，號幼庵，又號稼軒、茶山。乾隆十年（公元1745年）進士，殿試第一。工書善畫，擅山水，亦作寫意花果。

山水圖

清
錢維城
高125、寬78厘米。
紙本，設色。
現藏首都博物館。

洋菊圖

清
錢維城
高112.7、寬57.5厘米。
紙本，設色。
現藏臺北故宮博物院。

金廷標

清代畫家。烏程（今浙江湖州）人。字士揆。工畫人物、山水，兼寫真、花卉，亦能界畫。

羅漢圖

清

金廷標

高99.7、寬53.4厘米。

紙本，設色。

現藏故宫博物院。

負擔圖

清

金廷標

高140.9、寬55.5厘米。

紙本，設色。

現藏故宫博物院。

蓮塘納凉圖

清

金廷標

高56.9、寬65.1厘米。

絹本，設色。

現藏上海博物館。

袁　耀（公元？－約1778年）

清代畫家。江都（治今江蘇揚州）人。字昭道。袁江之子。精于界畫、山水、人物，宗法宋元。與其父并稱“二袁”。

邗江勝覽圖

清

袁耀

高165.2、寬262.8厘米。

絹本，設色。

現藏故宮博物院。

紫府仙居圖（右圖）

清

袁耀

高193、寬59.3厘米。

絹本，設色。

現藏上海博物館。

阿房宮圖

清

袁耀

高128、寬67厘米。

絹本，設色。

現藏南京博物院。

盤車圖

清

袁耀

高165、寬100厘米。

絹本，設色。

現藏山東省博物館。

巫峽秋濤圖

清

袁耀

高163.5、寬97.3厘米。

絹本，水墨。

現藏首都博物館。

王　宸（約公元1720－1797年）

清代畫家。太倉（今屬江蘇）人。字子凝，號蓬心，又號蓬樵，晚署老蓬仙。王原祁曾孫。山水承家學，以“元四家”爲宗，深得黄公望法。

雙松并茂圖

清

王宸

高145、寬74.5厘米。

紙本，設色。

現藏浙江省杭州市西泠印社。

仿各家山水圖（選二開）

清

王宸

高24、寬32厘米。

紙本，設色。共十二開。

現藏廣東省廣州美術館。

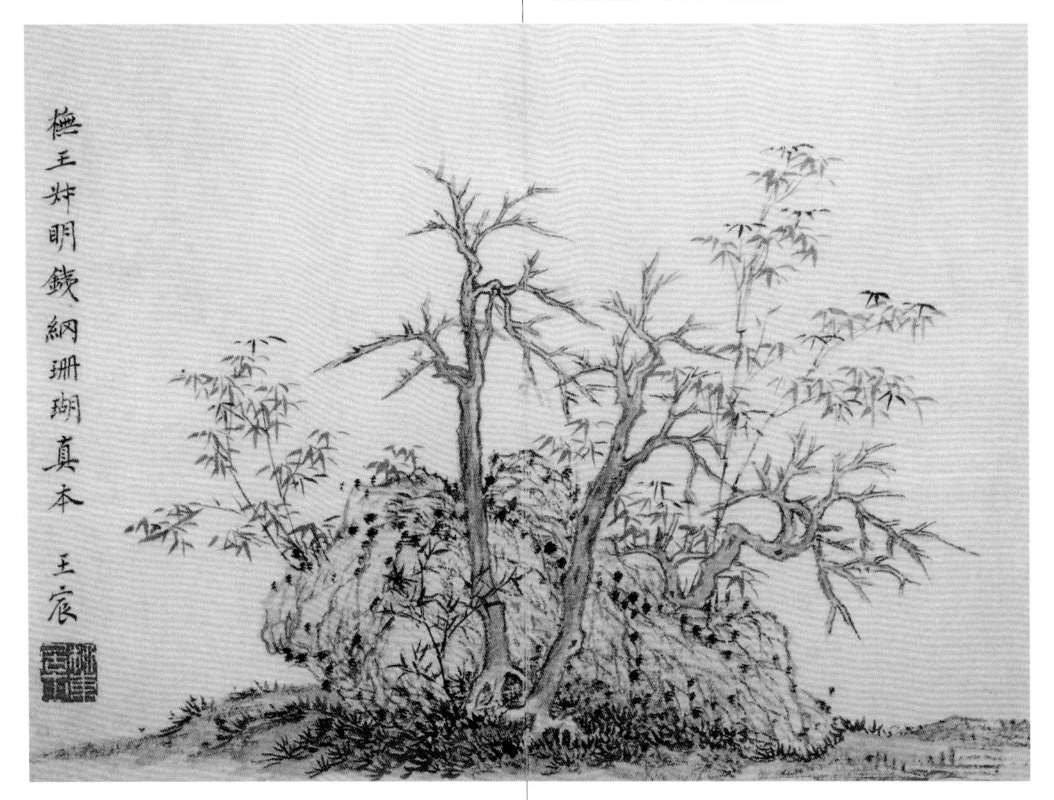

仿各家山水圖之一

仿各家山水圖之二

孫　祐（約公元1720－1780年后）

清代畫家。江蘇人。祐，一作祐。乾隆年間供奉内廷。工人物畫，山水師王原祁。

袁安卧雪圖

清

孫祐

高31.5、寬25.6厘米。

絹本，設色。

現藏故宫博物院。

秋山樓閣圖

清

孫祐

高159.8、寬98.6厘米。

絹本，設色。

現藏臺北故宫博物院。

弘　旿（公元? – 1811年）

清代畫家。字卓亭，號恕齋、醉迂、杏村農、一如居士、瑤華道人。清宗室。能詩，工書畫。

林麓秋晴圖

清

弘旿

高120、寬22厘米。

紙本，設色。

現藏臺北故宮博物院。

沈宗騫

清代畫家。烏程（今浙江湖州）人。字熙遠，號芥舟，自號研溪老圃。善畫山水人物。

竹林聽泉圖

清

沈宗騫

高90.7、寬35.1厘米。

紙本，設色。

現藏上海博物館。

山水圖（選二開）

清

沈宗騫

高18.5、寬25厘米。

紙本，設色。

現藏江蘇省常熟博物館。

山水圖之一

山水圖之二

童　鈺（公元1721－1782年）

清代畫家。會稽（今浙江紹興）人。字璞岩、二如，號二樹，自稱“二樹山人”。擅長山水，尤擅畫梅蘭竹石等。

月下墨梅圖（左圖）

清

童鈺

高164.8、寬56.4厘米。

紙本，水墨。

現藏江蘇省揚州博物館。

閔　貞（公元1730－約1788年）

清代畫家。江西人，僑寓漢口（今湖北武漢）。字正齋。喜畫粗筆人物、花鳥、山水，人物畫綫條簡練，揮毫自然。亦善白描人物。

八子觀燈圖

清

閔貞

高121、寬70.5厘米。

紙本，設色。

現藏江蘇省揚州博物館。

紈扇仕女圖

清
閔貞
高113.8、寬45.9厘米。
紙本，水墨。
現藏上海博物館。

扶杖觀瀑圖

清
閔貞
高161.7、寬92.2厘米。
紙本，設色。
現藏首都博物館。

巴慰祖像

清

閔貞

高103.5、寬31.6厘米。

紙本，設色。

現藏故宫博物院。

護法觀音圖

清

閔貞

高92.8、寬37.5厘米。

紙本，白描。

現藏上海博物館。

羅　聘（公元1733－1799年）

清代畫家。祖籍歙縣（今屬安徽），後僑居甘泉（今江蘇揚州）。字遯夫，號兩峰，又號衣雲，別號花之寺僧、金牛山人等。畫人物、佛像、山水、花果、梅、蘭、竹等，無所不工。筆調奇創，別具一格。爲“揚州八怪”之一。

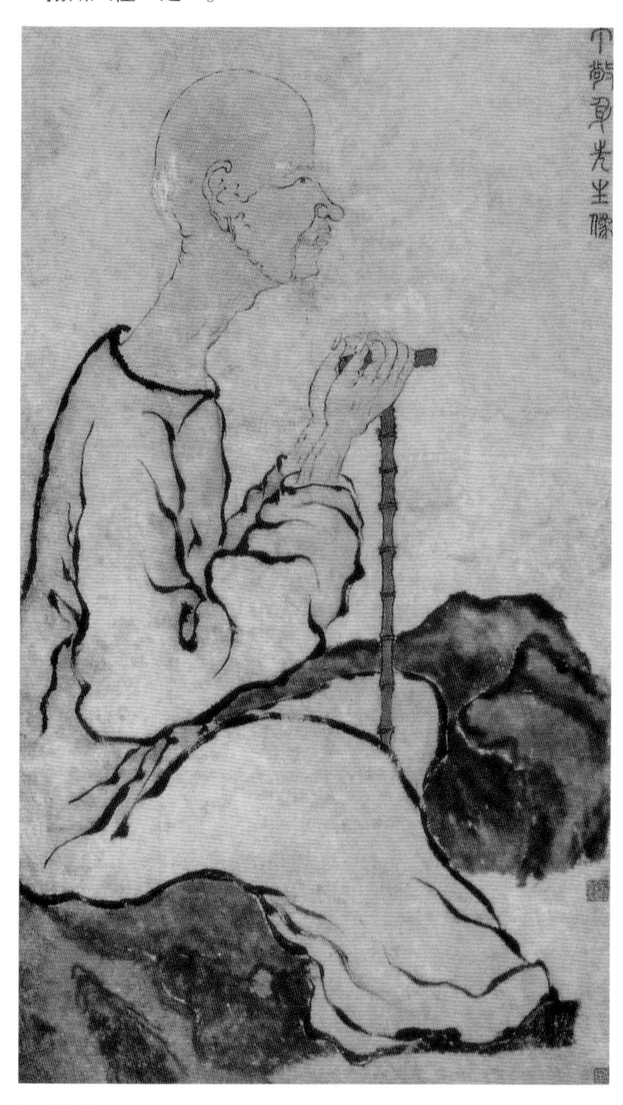

丁敬像

清
羅聘
高108.1、寬60.7厘米。
紙本，設色。
現藏浙江省博物館。

劍閣圖（右圖）

清
羅聘
高100.3、寬27.4厘米。
紙本，設色。
現藏故宮博物院。

人物山水圖（選四開）

清

羅聘

高24.3、寬30.7厘米。

紙本，設色。共十二開。

現藏故宫博物院。

人物山水圖之一

人物山水圖之二

人物山水圖之三

人物山水圖之四

梅竹雙清圖

清
羅聘
高166.9、寬65.3厘米。
紙本，水墨。
現藏遼寧省博物館。

三色梅圖

清
羅聘
高118.3、寬51.3厘米。
紙本，設色。
現藏吉林省博物院。

篔谷圖

清

羅聘

高91.7、寬53厘米。

紙本，水墨。

現藏江蘇省蘇州博物館。

湘潭秋意圖

清

羅聘

高168.3、寬88.6厘米。

紙本，水墨。

現藏上海博物館。

賀清泰（公元1735–1814，一作1735–1804年）

清代畫家。法國人。乾隆三十五年（公元1770年）來中國，供奉内廷。善繪畫，工人物風景、花鳥走獸。

賁鹿圖

清

賀清泰

高198.3、寬93厘米。

紙本，設色。

現藏故宫博物院。

方　薰（公元1736－1799年）

清代畫家。石門（今浙江桐鄉）人。字蘭士，別號蘭坻、蘭生、懶儒、樗庵等。善畫山水，亦工人物、草蟲、花鳥。

山水圖之一

山水圖（選二開）

清

方薰

高28、寬21厘米。

紙本，水墨。

現藏江蘇省常熟博物館。

山水圖之二

摹宋人花卉圖（局部）

清

方薰

全圖高29.5、寬551.3厘米。

紙本，設色。

現藏上海博物館。

摹宋人花卉圖局部之一

摹宋人花卉圖局部之二

余　集（公元1738－1823年）

清代畫家。錢塘（今浙江杭州）人。字蓉裳,號秋室。精詩文，工書畫，尤長仕女，時有“余美人”之譽。

梅下賞月圖

清

余集

高65.2、寬31厘米。

紙本，水墨。

現藏上海博物館。

錢　澧（公元1740－1795年）

清代畫家。昆明（今屬雲南）人。字東注，一字約甫，號南園。善畫人物鞍馬，神俊形肖。

秋風歸牧圖

清

錢澧

高140.7、寬73厘米。

紙本，水墨。

現藏上海博物館。

三馬圖

清

錢灃

高66.7、寬47.6厘米。

紙本，水墨。

現藏上海博物館。

潘恭壽（公元1741－1794年）

清代畫家。丹徒（今江蘇鎮江）人。字填夫，號蓮巢。工書善畫，長于山水，兼擅花卉、竹石、佛像。

重岩暮靄圖

清

潘恭壽

高81.6、寬31.5厘米。

紙本，設色。

現藏江蘇省泰州市博物館。

山水圖（選二開）

清

潘恭壽

高24、寬28.2厘米。

紙本，設色。共十二開。

現藏上海博物館。

山水圖之一

山水圖之二

黄　易（公元1744－約1802年）

清代畫家。仁和（今浙江杭州）人。字大易，號小松、秋盦。擅山水，亦寫墨梅。精篆刻，與丁敬并稱“丁黄”，爲“西泠八家”之一。

書畫詩翰圖（選二開）

清

黄易

高13.5、寬18厘米。

紙本，設色。共八開。

現藏私人處。

書畫詩翰圖之一

書畫詩翰圖之二

嵩洛訪碑圖（選二開）

清

黄易

高17.5、寬50.8厘米。

紙本，水墨。共二十四開。

現藏故宫博物院。

嵩洛訪碑圖之一

嵩洛訪碑圖之二

奚　岡（公元1746－1803年）

清代畫家。原籍歙縣（今屬安徽），一作黟縣（今屬安徽）人，寓杭州西湖。原名鋼，字鐵生、純章，號羅龕、蝶野子、蒙泉外史、散木居士等。長于繪事，山水、花卉皆擅。精篆刻，爲“西泠八家”之一。

岩居秋爽圖

清

奚岡

高113.5、寬48.5厘米。

紙本，水墨淡設色。

現藏故宮博物院。

花卉圖

清

奚岡

高129.5、寬31.5厘米。

紙本，設色。

現藏上海博物館。

疏林霜葉圖
清
奚岡
高140、寬34厘米。
紙本，設色。
現藏首都博物館。

黎　簡（公元1747－1799年）

清代畫家。順德（今屬廣東佛山）人。字未裁，一字簡民，號二樵，又號石鼎道士，晚號狂簡。工詩善畫，尤精山水。

仿王蒙山水圖
清
黎簡
高105、寬47.2厘米。
紙本，水墨。
現藏廣東省博物館。

爲虚舟作山水圖

清

黎簡

高93、寬32.5厘米。

紙本，水墨。

現藏廣東省廣州美術館。

江瀨山光圖

清

黎簡

高137.5、寬59厘米。

紙本，水墨。

現藏上海博物館。

張　崟（公元1761－1829年）

清代畫家。丹徒（今江蘇鎮江）人。字寶厓，號夕庵、且翁。工畫花卉、竹石、佛像，尤善山水。

京口三山圖

清

張崟

高29.3、寬193厘米。

紙本，設色。

現藏故宫博物院。

春流出峽圖

清

張崟

高145.8、寬64.1厘米。

紙本，設色。

現藏南京博物院。

桂蔭凉適圖

清

張崟

高111、寬57厘米。

紙本，設色。

現藏廣東省廣州美術館。

錢　杜（公元1764－1844年）

清代畫家。仁和（今浙江杭州）人。初名榆，字叔美，自號松壺、壺公，又號卍居士。自幼工詩，深通畫法，人物、花卉皆精，尤得意于山水。

人物山水圖（選二開）

清

錢杜

高22.8、寬33.5厘米。

紙本，設色。共十二開。

現藏上海博物館。

人物山水圖之一

人物山水圖之二

紫瑯仙館圖

清

錢杜

高132、寬27.1厘米。

紙本，設色。

現藏故宮博物院。

著書圖

清

錢杜

高85.7、寬27.3厘米。

紙本，設色。

現藏上海博物館。

關　槐

清代畫家。仁和（今浙江杭州）人。字晋卿，一字晋軒，號雲岩，一號曙笙。官至禮部侍郎。善畫山水。

上塞錦林圖

清

關槐

高142.6、寬64.6厘米。

紙本，設色。

現藏故宫博物院。

溪閣納凉圖

清

關槐

高149.5、寬64.7厘米。

紙本，水墨。

現藏浙江省博物館。

花果圖（選二開）

清

陳鴻壽

高26.7、寬37.5厘米。

紙本，設色。共十二開。

現藏上海博物館。

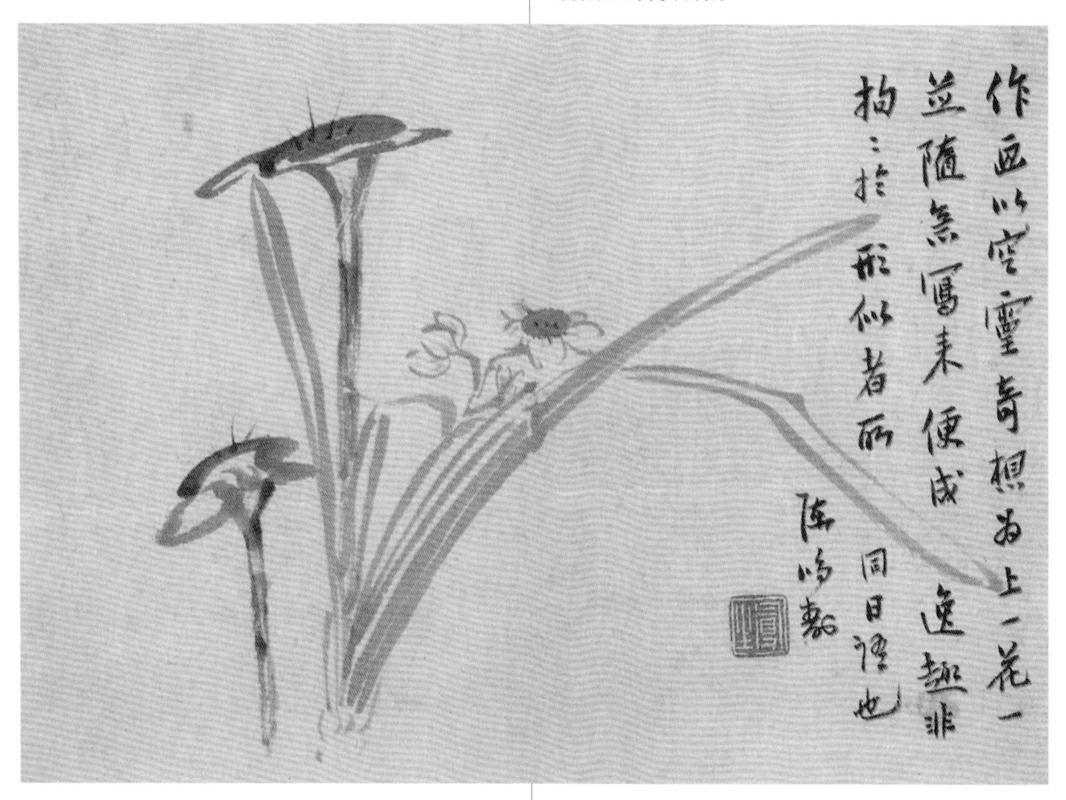

花果圖之一

花果圖之二

陳鴻壽（公元1768－1822年）

清代畫家。錢塘（今浙江杭州）人。字子恭，號曼生。善畫山水、花鳥和蘭竹。

善權石室圖

清
陳鴻壽
高55.3、寬30.4厘米。
紙本，水墨。
現藏浙江省博物館。

改　琦（公元1773－1828年）

清代畫家。原爲西域回族，後居松江（今上海）。字伯蘊，號香白、七薌，又號玉壺山人。擅畫人物、仕女，亦能山水及蘭竹小品。

元機詩意圖

清
改琦
高99、寬32厘米。
絹本，設色。
現藏故宮博物院。

竹下仕女圖

清

改琦

高129、寬41.5厘米。

絹本，設色。

現藏廣東省廣州美術館。

逗秋小閣學書圖

清

改琦

高94.4、寬27.4厘米。

紙本，設色。

現藏上海博物館。

錢東像

清
改琦
高35.9、寬50厘米。
紙本，設色。
現藏故宮博物院。

虞　蟾（公元? – 1864年）

清代畫家。甘泉（今江蘇揚州）人。字步青，號半村老人。善山水，曾爲太平軍繪壁畫。

仿清湘山水圖

清
虞蟾
高115.5、寬184.5厘米。
紙本，水墨。
現藏江蘇省美術館。

湯貽汾（公元1778－1853年）

清代畫家。武進（今江蘇常州）人，寓居金陵（今江蘇南京）。字若儀，號雨生，晚號粥翁。善畫山水、花卉，尤工畫梅。

秋坪閑話圖

清

湯貽汾

高97、寬46厘米。

紙本，設色。

現藏故宮博物院。

羅芳淑

清代女畫家。揚州（今屬江蘇）人。字香雪，一字潤六。羅聘之女。承家學，善畫梅。

梅花圖（選二開）

清

羅芳淑

高26.8、寬55.6厘米。

紙本，水墨。共六開。

現藏上海博物館。

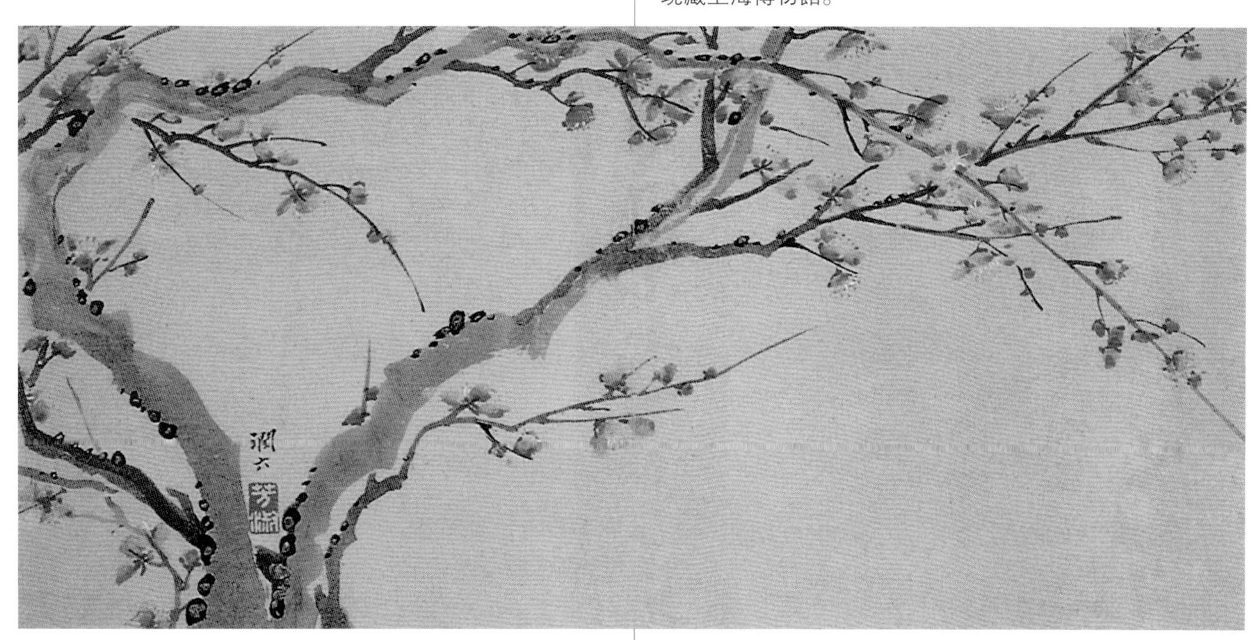

梅花圖之一

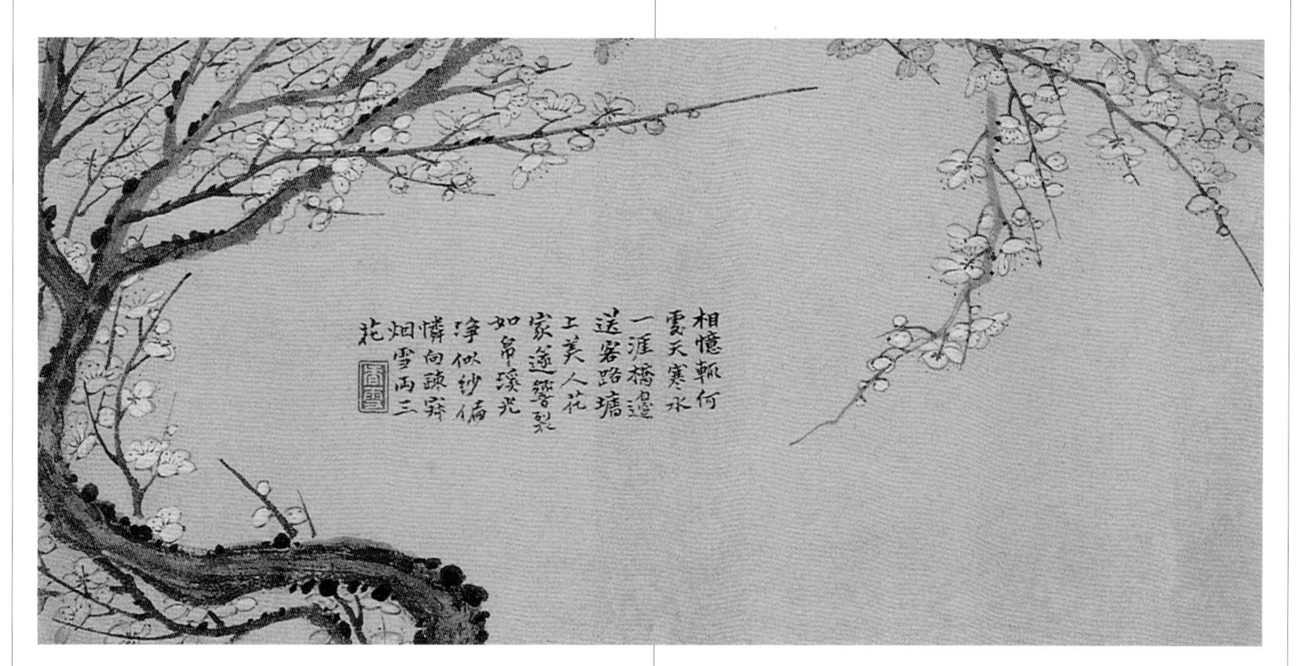

梅花圖之二

趙之琛（公元1781－1860年）

清代畫家。錢塘（今浙江杭州）人。字次閑，號獻父。善畫山水、花卉，亦喜繪佛像。

雙勾竹石圖

清

趙之琛

高128.2、寬61.5厘米。

紙本，設色。

現藏浙江省博物館。

王　素（公元1794－1877年）

清代畫家。甘泉（今江蘇揚州）人。字小梅，晚號遜之。善人物、花鳥、走獸。

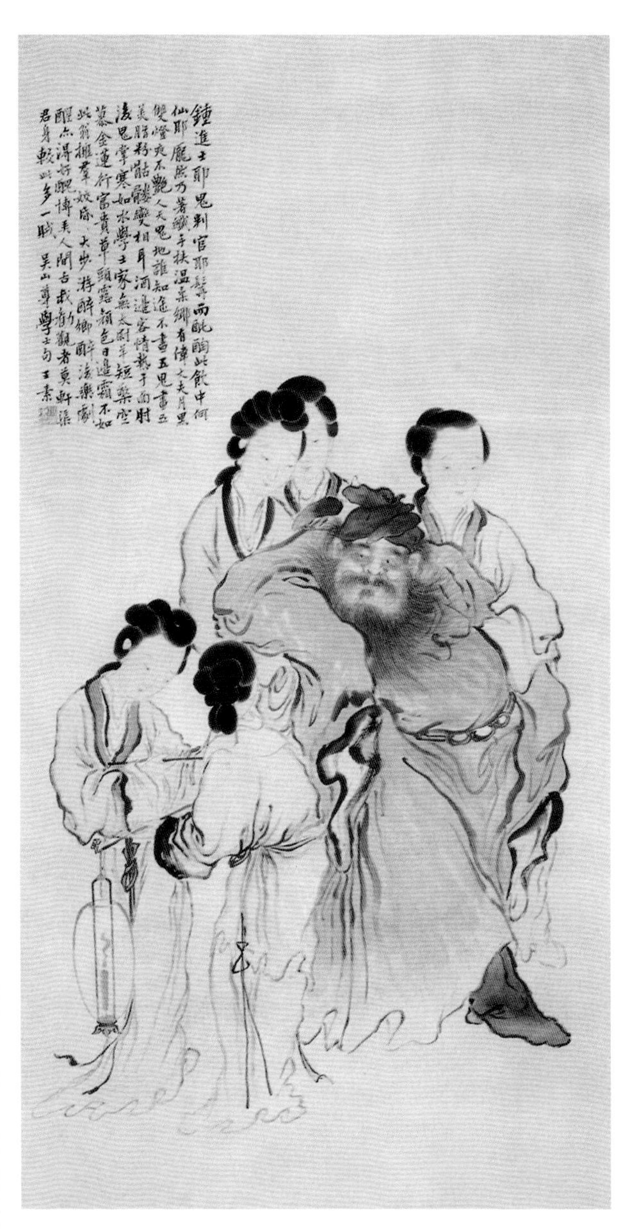

鍾馗圖

清

王素

高176.8、寬93厘米。

紙本，設色。

現藏上海博物館。

蘇六朋（公元1798－?年）

清代畫家。順德（今屬廣東佛山）人。字枕琴，號怎道人、羅浮道人、南水村老。善畫人物，取法宋元。題材以道釋、仙人及民間故事爲多。

東山報捷圖

清
蘇六朋
高238、寬117厘米。
紙本，設色。
現藏廣東省廣州美術館。

清平調圖

清

蘇六朋

高332.5、寬101.5厘米。

紙本，設色。

現藏廣東省廣州美術館。

太白醉酒圖

清

蘇六朋

高204.8、寬93.9厘米。

紙本，設色。

現藏上海博物館。

曲水流觴圖

清

蘇六朋

高155、寬73.7厘米。

絹本，設色。

現藏廣東省廣州美術館。

費丹旭（公元1801－1850年）

清代畫家。烏程（今浙江湖州）人，寓居杭州（今屬浙江）。字子苕，號曉樓、環溪。賣畫于江、浙兩省。擅畫仕女、肖像，兼工山水、花卉。

執扇倚秋圖

清

費丹旭

高149.8、寬44.6厘米。

紙本，水墨。

現藏上海博物館。

倚欄圖

清
費丹旭
高45.5、寬150.5厘米。
紙本，設色。
現藏重慶市博物館。

姚燮懺綺圖

清

費丹旭

高31、寬128.6厘米。

紙本，設色。

現藏故宮博物院。

十二金釵圖（選二開）

清
費丹旭

高20.3、寬27.7厘米。
絹本，設色。共十二開。
現藏故宮博物院。

十二金釵圖之一

十二金釵圖之二

任淇（公元? – 1861年）

清代畫家。蕭山（今屬浙江杭州）人。字竹君，號建齋。任熊族叔。善畫花卉、人物、界畫。

送子得魁圖
清
任淇
高97.6、寬42.6厘米。
絹本，設色。
現藏浙江省博物館。

戴熙（公元1801 – 1860年）

清代畫家。杭州（今屬浙江）人。字醇士，號榆庵，又號花溪，亦稱井東居士，謚號文節。工詩書，善山水、花卉。

長松竹石圖
清
戴熙
高131、寬63厘米。
紙本，水墨。
現藏首都博物館。

雲嵐烟翠圖

清

戴熙

高138.5、寬64.5厘米。

紙本，水墨。

現藏山東省青島市博物館。

重巒密樹圖

清

戴熙

高115.3、寬46.8厘米。

紙本，設色。

現藏上海博物館。

山水圖（選二開）

清
戴熙
高17.2、寬23.4厘米。紙本，設色。共八開。現藏故宮博物院。

山水圖之一

山水圖之二

憶松圖
清
戴熙
高37.7、
寬123.2厘米。
紙本，水墨。
現藏故宮博
物院。

劉彥冲（公元1809－?年）

清代畫家。梁山（今重慶梁平）人，僑居蘇州（今屬江蘇）。號泳之。善山水、人物和花卉。

聽阮圖
清
劉彦冲

高20.7、寬78.1厘米。
紙本，設色。
現藏故宫博物院。

山水圖

清

劉彥冲

高137、寬49.6厘米。

紙本，水墨淡設色。

現藏故宫博物院。

山水圖

清

劉彥冲

高135.3、寬51厘米。

紙本，設色。

現藏上海博物館。

居 巢（公元1811－1865年）

清代畫家。番禺（今廣東廣州）人。字梅生，號梅巢。擅畫山水、花鳥草蟲。

人物花鳥圖（選二扇）

清

居巢

高18.5、寬53.5厘米。

紙本，設色。共十五頁。

現藏廣東省廣州美術館。

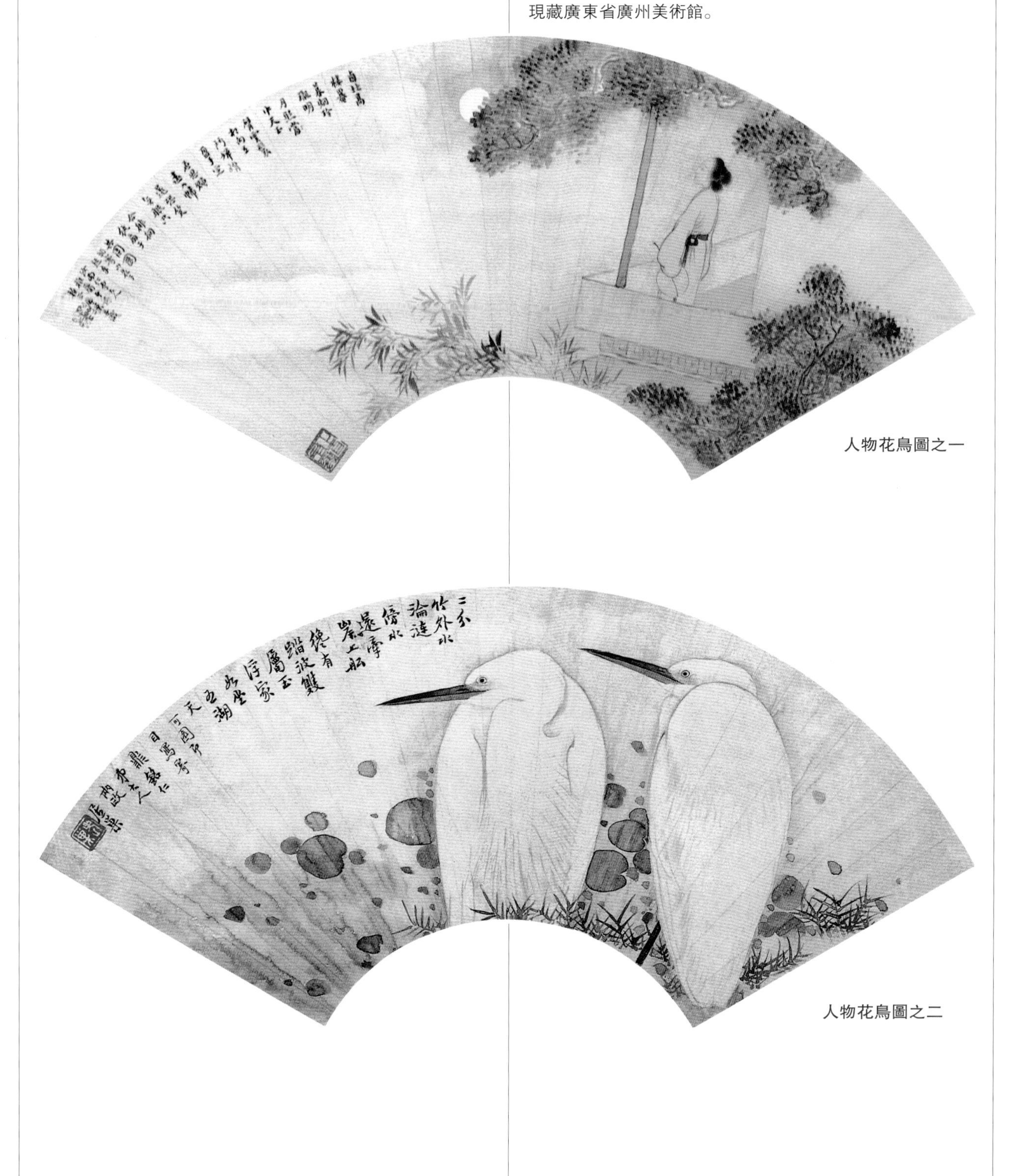

人物花鳥圖之一

人物花鳥圖之二

五福圖

清

居巢

高80.5、寬44.5厘米。

絹本，設色。

現藏廣東省博物館。

仿元人花卉小品圖（右圖）

清

居巢

高91.8、寬31.4厘米。

紙本，設色。

現藏廣東省博物館。

蘇長春

清代畫家。順德（今屬廣東佛山）人。字仁山，别署“教圃”。工山水、人物，兼畫花卉，用筆構圖自成一家。

八仙圖

清

蘇長春

高181.4、寬92.9厘米。

紙本，水墨。

現藏廣東省廣州美術館。

山居水榭圖

清

蘇長春

高147.9、寬70厘米。

紙本，水墨。

現藏廣東省博物館。

五羊仙迹圖

清

蘇長春

高178.5、寬67.5厘米。

紙本，水墨。

現藏廣東省廣州美術館。

王禮（公元1813－1879，一作1817－1885年）

清代畫家。吴江（今屬江蘇）人，久寓上海。字秋言，號秋道人，别署“白蕉研主”。幼喜繪畫，善畫花鳥、人物。

蕉梅錦鷄圖

清

王禮

高114.7、寬47.2厘米。

紙本，設色。

現藏故宫博物院。

羅　清（公元1821－?年）

清代畫家。番禺（今廣東廣州）人。字雪谷。善指畫。

崇山納涼圖

清

羅清

高177、寬85厘米。

絹本，水墨。

現藏廣東省廣州美術館。

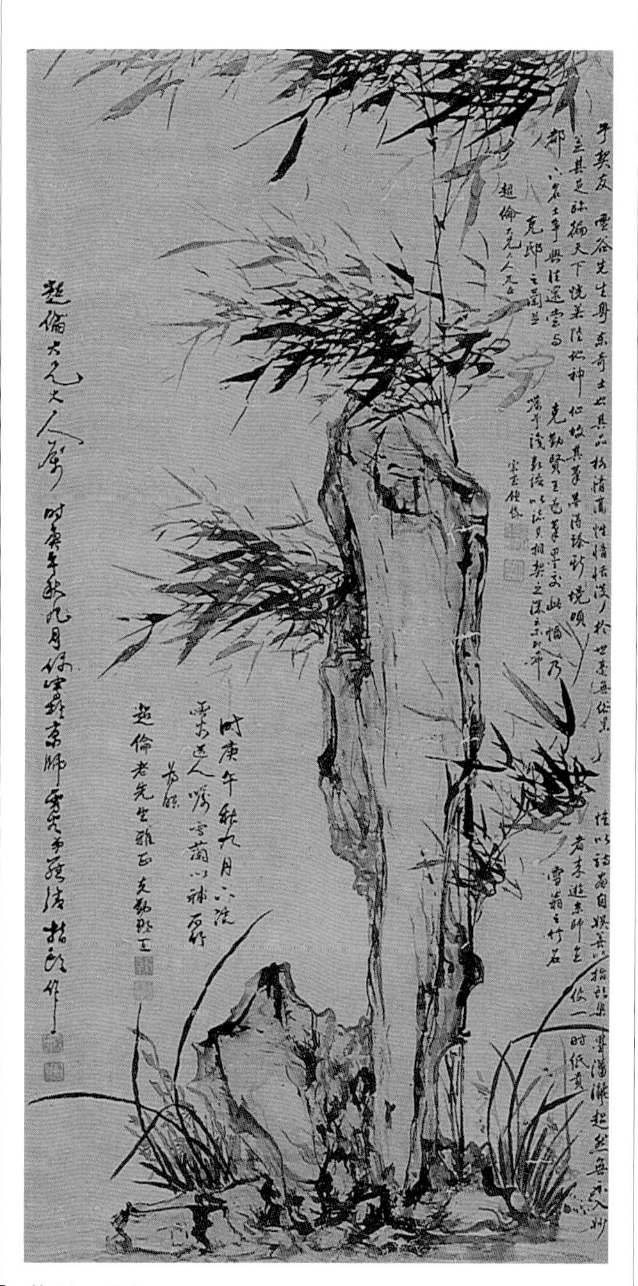

蘭竹石圖

清

羅清

高132、寬66.5厘米。

絹本，水墨。

現藏廣東省廣州美術館。

任　熊（公元1823－1857年）

清代畫家。蕭山（今屬浙江杭州）人。字渭長，號湘浦。工書善畫，長于人物，造形奇古，筆墨誇張，敷彩鮮艷。亦工花鳥、山水。任熊、任薰與弟子任頤，合稱"三任"；加上任預，也稱"四任"。

范湖草堂圖（局部）

清

任熊

全圖高35.8、寬705厘米。

絹本，設色。

現藏上海博物館。

范湖草堂圖局部之一

范湖草堂圖局部之二

范湖草堂圖局部之三

自畫像

清

任熊

高177.5、寬78.8厘米。

紙本，設色。

現藏故宮博物院。

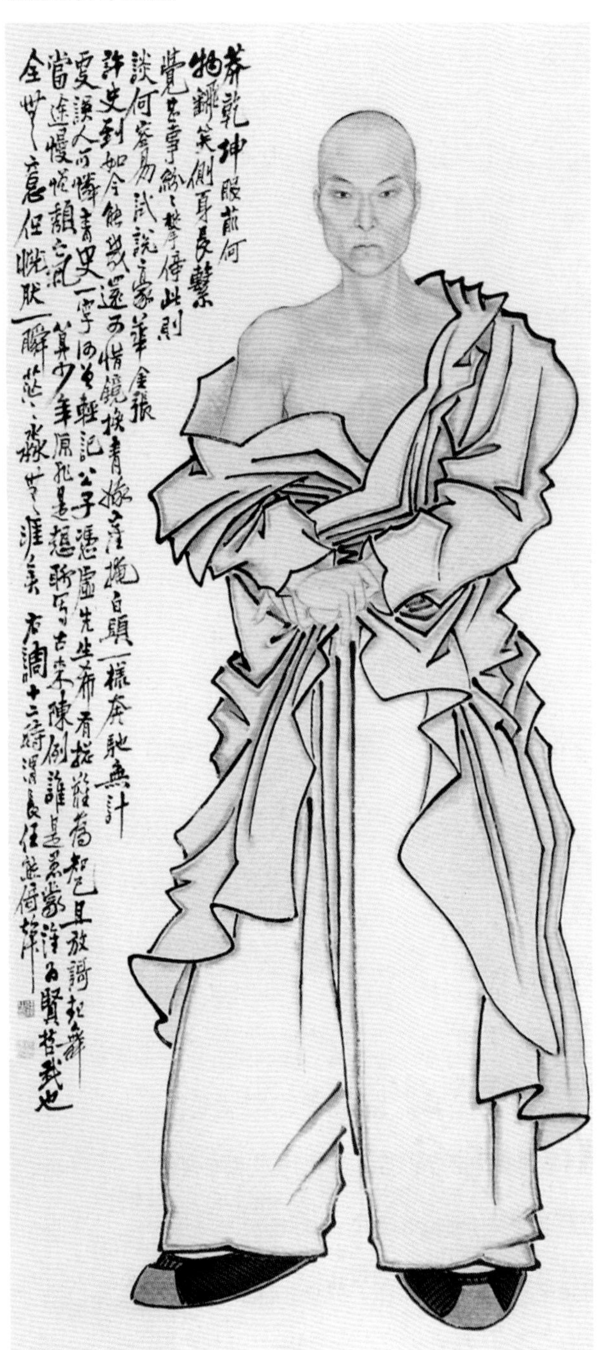

瑶宫秋扇圖

清

任熊

高85.2、寬33.5厘米。

絹本，設色。

現藏南京博物院。

人物圖（選二開）

清

任熊

高21.6、寬26.5厘米。

絹本，設色。

現藏廣東省廣州美術館。

人物圖之一

人物圖之二

十萬圖（選四開）

清

任熊

高26.3、寬20.5厘米。

紙本，設色。共十開。

現藏故宮博物院。

十萬圖之一

十萬圖之二

十萬圖之三

十萬圖之四

姚大梅詩意圖（選二開）

清

任熊

高27.3、寬32.5厘米。

絹本，設色。共一百二十開。

現藏故宮博物院。

姚大梅詩意圖之一

姚大梅詩意圖之二

虚　谷（公元1823－1896年）

清代畫家。歙縣（今屬安徽）人，移居揚州（今屬江蘇）。俗姓朱，名懷仁，一名虚白，號紫陽山人。工繪山水、花卉、動物、禽鳥，賦色清新，别具風格。同治、光緒年間寓居上海，聲望極重。

松鶴延年圖

清

虚谷

高184.5、寬98.3厘米。

紙本，設色。

現藏江蘇省蘇州博物館。

沈麟元葑山釣徒圖

清
虛谷
高116、寬55.7厘米。
紙本，設色。
現藏故宮博物院。

梅鶴圖

清
虛谷
高248、寬121.7厘米。
紙本，設色。
現藏故宮博物院。

五色牡丹圖

清

虛谷

高242.5、寬120.5厘米。

紙本，設色。

現藏北京市文物商店。

枇杷圖

清

虛谷

高129.8、寬72.1厘米。

紙本，設色。

現藏南京博物院。

雜畫（選二開）

清

虛谷

高30.6、寬43.1厘米。
紙本，設色。共十二開。
現藏上海博物館。

雜畫之一

雜畫之二

花鳥圖（選二開）

清
虛谷
高24.5、寬31.4厘米。
紙本，設色。共十二開。
現藏南京博物院。

花鳥圖之一

花鳥圖之二

山水圖（選二開）

清
虛谷
高18.9、
寬25.4厘米。
紙本，設色。
共十四開。
現藏上海博物館。

山水圖之一

山水圖之二

胡公壽（公元1823－1886年）

清代畫家。華亭（今上海松江）人。名遠，字公壽，以字行，號瘦鶴，又號橫雲山民。能詩書，善畫山水和花卉，尤喜畫梅。

梅石圖
清
胡公壽
高149、寬96厘米。
紙本，設色。
現藏首都博物館。

朱偁（公元1826－1900年）

清代畫家。秀水(今浙江嘉興)人。原名琛，字夢廬，號覺未。善畫花鳥。

花鳥圖
清
朱偁
高100、
寬25.7厘米。
絹本，設色。
現藏故宮博物院。

桃花白頭圖（左圖）
清
朱偁
高164.5、寬46.7厘米。
紙本，設色。
現藏上海博物館。

居　廉（公元1828－1904年）

清代畫家。桂林（今屬廣西）人，占籍番禺（今廣東廣州）。字士剛，號古泉，自署“隔山老人”，晚號羅浮散人。工書善畫，長于花卉鳥蟲，亦善人物，用筆工整，設色妍麗，名盛一時。開“嶺南畫派”之先河。

富貴白頭圖
清
居廉
高132.6、寬75厘米。
絹本，設色。
現藏故宫博物院。

花卉昆蟲圖（選四開）

清

居廉

高27.8、寬28.8厘米。

絹本，設色。共十二開。

現藏故宮博物院。

花卉昆蟲圖之一

花卉昆蟲圖之二

花卉昆蟲圖之三

花卉昆蟲圖之四

趙之謙（公元1829－1884年）

清代畫家。會稽（今浙江紹興）人。初字益甫，後改字撝叔，號鐵三、支自，又號悲庵等。善畫花卉。筆意生動，形神兼備。書法和篆刻也有極高名望。

墨松圖

清

趙之謙

高176.5、寬96.5厘米。

紙本，水墨。

現藏故宮博物院。

牡丹圖

清

趙之謙

高175.6、寬90.8厘米。

紙本，設色。

現藏故宮博物院。

古柏圖（上圖）
清
趙之謙
高95.3、寬181.5厘米。
紙本，設色。
現藏天津博物館。

花卉圖
清
趙之謙
紙本，設色。
現藏上海博物館。

積書岩圖

清

趙之謙

高69.5、寬39厘米。

紙本，設色。

現藏上海博物館。

蒲　華（公元1832－1911年）

清代畫家。秀水（今浙江嘉興）人，常居上海。原名成，字作英，號種竹道人、胥山野史。工書善畫，長于畫墨竹，亦工花卉和山水。

天竺水仙圖

清

蒲華

高146.3、寬77.1厘米。

紙本，設色。

現藏上海博物館。

習静愛山居圖

清

蒲華

高141、寬45厘米。

紙本， 水墨。

現藏上海朵雲軒。

錢慧安（公元1833－1911年）

清代畫家。寶山（今屬上海）人。又名貴昌，字吉生，號清溪樵子。善畫仕女人物，又擅花卉、山水。

富貴壽考圖

清

錢慧安

高146、寬78.5厘米。

紙本，設色。

現藏天津博物館。

任　薰（公元1835－1893年）

清代畫家。蕭山（今屬浙江杭州）人。字阜長，又字舜舉。任熊弟。善畫人物，尤工花鳥，風格近任熊。

麻姑獻壽圖

清

任薰

高172、寬81.5厘米。

紙本，設色。

現藏江蘇省常熟博物館。

花鳥圖（選二屏）

清

任薰

高140、寬37.5厘米。

紙本，設色。共四屏。

現藏廣東省廣州美術館。

花鳥圖（選二屏）

清

任薰

高145.2、寬38.9厘米。

紙本，設色。共四屏。

現藏故宮博物院。

松菊錦鷄圖

清

任薰

高149、寬40.4厘米。

紙本，設色。

現藏故宫博物院。

胡錫珪（公元1839－1883年）

清代畫家。蘇州（今屬江蘇）人。原名文，字三橋，號紅茵館主。工畫仕女，尤以水墨白描爲佳。

仕女圖

清

胡錫珪

高109.3、寬25.3厘米。

絹本，設色。

現藏故宫博物院。

任　頤（公元1840－1895年）

清代畫家。山陰（今浙江紹興）人。初名潤，一名頤，字小樓，一作曉樓，後改字伯年。早年曾從任熊學畫，受陳洪綬影響較大。人物、肖像、山水、花卉、禽鳥無不擅長。所畫題材，極爲廣泛，構圖新巧，風格獨特。

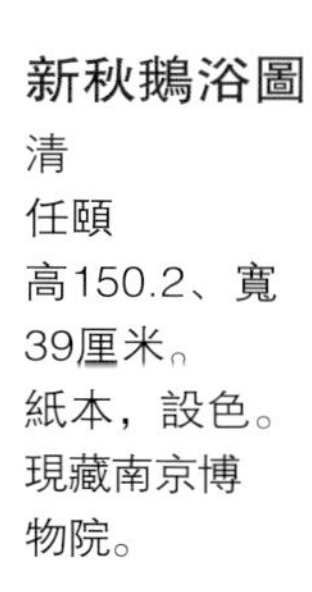

新秋鵝浴圖

清
任頤
高150.2、寬39厘米。
紙本，設色。
現藏南京博物院。

支遁愛馬圖

清
任頤
高135.5、寬30厘米。
紙本，設色。
現藏上海博物館。

雪中送炭圖

清

任頤

高138.5、寬68.5厘米。

紙本，設色。

現藏上海博物館。

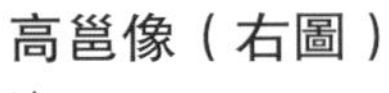

高邕像（右圖）

清

任頤

高129、寬48厘米。

紙本，設色。

現藏故宮博物院。

牡丹圖

清

任頤

高150.7、寬82.3厘米。

紙本，設色。

現藏吉林省博物院。

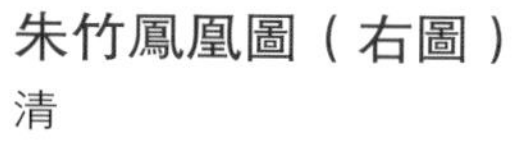

朱竹鳳凰圖（右圖）

清

任頤

高162、寬48厘米。

紙本，設色。

現藏江蘇省常熟博物館。

人物花鳥圖（選四開）

清

任頤

高31.5、寬36厘米。

紙本，設色。共十二開。

現藏故宮博物院。

人物花鳥圖之一

人物花鳥圖之二

人物花鳥圖之三

人物花鳥圖之四

寒林牧馬圖

清

任頤

高129.5、寬62.3厘米。

紙本，設色。

現藏中國美術館。

飯石山農像

清

任頤

高130.5、寬55.7厘米。

紙本，設色。

現藏上海博物館。

酸寒尉像

清

任頤

高164.2、寬77.6厘米。

紙本，設色。

現藏浙江省博物館。

吴昌碩（公元1844－1927年）

清代畫家。安吉（今屬浙江）人。初名俊，後改俊卿，字倉石，一字昌碩，號缶廬，又號苦鐵、破荷、大聾人。畫花卉、竹石、山水、佛像等均參用書法，以金石篆籀之趣作。筆力蒼簡、渾厚，格調清新。與趙之謙、吴讓之時稱鼎足，爲“海上畫派”代表人物。

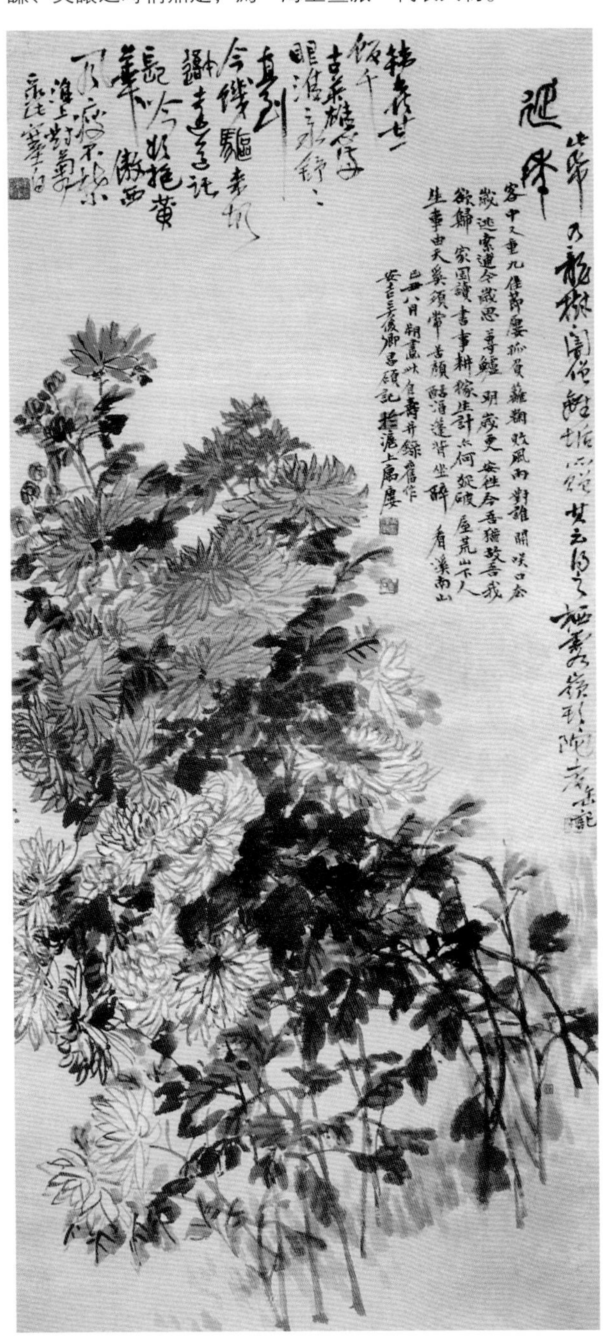

菊花圖

清

吴昌碩

高129.5、寬59.2厘米。

紙本，設色。

現藏上海博物館。

紫藤圖

清

吴昌碩

高174.7、寬47.5厘米。

紙本，設色。

現藏故宫博物院。

葫蘆圖

清

吴昌碩

高120.6、寬44.7厘米。

紙本，設色。

現藏上海人民美術出版社。

梅花圖

清

吴昌碩

高159.2、寬77.6厘米。

紙本，設色。

現藏上海博物館。

桃實圖

清
吴昌碩
高180，寬96厘米。
紙本，設色。
現藏上海博物館。

富貴神仙圖

清
吴昌碩
高182、寬66厘米。
紙本，設色。
現藏浙江省杭州市西泠印社。

山水圖（選二開）

清
吴昌碩
高30.6、寬35.4厘米。
紙本，水墨或設色。
共十二開。
現藏中國美術館。

山水圖之一

山水圖之二

吴穀祥（公元1848 – 1903年）

清代畫家。秀水（今浙江嘉興）人。原單名祥，字秋農，號秋圃老農。工山水，兼能花卉、仕女。

怡園主人像

清

吴穀祥

高116.5、寬52.5厘米。

紙本，設色。

現藏故宫博物院。

吴石仙（公元? – 1916年）

清代畫家。上元（今江蘇南京）人，流寓上海。名慶雲，畫以字行。晚號潑墨道人。善畫山水，吸收西畫透視原理，作烟雨景致，别有風格。

秋山夕照圖

清

吴石仙

高104.2、寬51.6厘米。

紙本，水墨。

現藏上海博物館。

陸　恢（公元1851－1920年）

清代畫家。吴江（今屬江蘇）人。原名友奎，字廉夫，號狷庵。擅畫山水、人物、花鳥。

松風蕭寺圖

清

陸恢

高174、寬94厘米。

紙本，設色。

現藏上海朵雲軒。

任　預（公元1853－1901年）

清代畫家。蕭山（今屬浙江杭州）人。字立凡。任熊之子。擅畫山水、人物、肖像和鳥獸。

金明齋像

清

任預

高92.5、寬34厘米。

絹本，設色。

現藏故宫博物院。

翠竹白猿圖

清

任預

高142.8、寬38厘米。

紙本，設色。

現藏南京博物院。

倪　田（公元1855－1919年）

清代畫家。江都（治今江蘇揚州）人，僑居上海。字墨耕，號默道人、壁月主。工書善畫，長于山水、人物和釋道畫像。

昭君出塞圖

清

倪田

高118.5、寬54厘米。

紙本，設色。

現藏故宮博物院。

年　表

（紅色字體爲本卷涉及時代）

新石器時代（公元前8000年－公元前2000年）

夏（公元前21世紀－公元前16世紀）

商（公元前16世紀－公元前11世紀）

西周（公元前11世紀－公元前771年）

春秋（公元前770年－公元前476年）

戰國（公元前475年—公元前221年）

秦（公元前221年－公元前207年）

漢（公元前206年－公元220年）

西漢（公元前206年—公元8年）

新（公元9年－公元23年）

東漢（公元25年－公元220年）

三國（公元220年－公元265年）

魏（公元220年－公元265年）

蜀（公元221年－公元263年）

吴（公元222年－公元280年）

西晋（公元265年—公元316年）

十六國（公元304年－公元439年）

東晋（公元317年—公元420年）

北朝（公元386年—公元581年）

北魏（公元386年－公元534年）

東魏（公元534年－公元550年）

西魏（公元535年－公元556年）

北齊（公元550年—公元577年）

北周（公元557年－公元581年）

南朝（公元420年—公元589年）

宋（公元420年－公元479年）

齊（公元479年－公元502年）

梁（公元502年－公元557年）

陳（公元557年－公元589年）

隋（公元581年—公元618年）

唐（公元618年—公元907年）

五代十國（公元907年—公元960年）

遼（公元916年—公元1125年）

宋（公元960年—公元1279年）

北宋（公元960年—公元1127年）

南宋（公元1127年—公元1279年）

西夏（公元1038年—公元1227年）

金（公元1115年—公元1234年）

元（公元1271年—公元1368年）

明（公元1368年—公元1644年）

清（公元1644年—公元1911年）